# C Memory Management Techniques

Len Dorfman
Marc J. Neuberger

Windcrest®/McGraw-Hill

FIRST EDITION
FIRST PRINTING

**Library of Congress Cataloging-in-Publication Data**

Dorfman, Len.
    C memory management techniques / by  Len Dorfman and Marc J.
Neuberger.
      p.      cm.
    ISBN 0-8306-4058-4 (pbk.)
    1.  C (Computer program language)  2.  Memory management (Computer
science)  I.  Neuberger, Marc J.   II.  Title.
QA76.73.C15D673   1993
005.4'3—dc20                                                    92-14873
                                                                   CIP

TAB Books offers software for sale. For information and a catalog, please contact
TAB Software Department, Blue Ridge Summit, PA 17294-0850.

Acquisitions Editor: Stephen Moore
Book Editor: David M. McCandless
Director of Production: Katherine G. Brown
Book Design: Jaclyn J. Boone
Cover: Sandra Blair Design and
    Brent Blair Photography, Harrisburg, Pa.                          WP1

*To Barbara and Rachel, for their love and spirited humor.*
*To Stephen Moore, for his eagle's eye.*
*Len*


*To Leah, Joe, and Miriam for their love, support, and friendship.*
*Marc*

# Contents

# How to use this book

In order to benefit most from this book, you should have at least beginner's knowledge of the C programming language. The programs in this book were developed and tested using Borland's Turbo C$^{++}$ and Microsoft's C 6.0 & 7.0 compilers.

Although the assembly bindings were assembled using TASM and MASM 5.1, you don't need to know assembly programming in order to use the memory management functions presented in the book.

# Introduction

This practical how-to book has been designed with the intent of providing C programmers with the practical tools required to enable seamless dynamic integration of high memory (expanded memory, extended memory, and the hard disk) into application programs. This book provides the tools required for virtual memory management in the 80x86/8088 real mode.

EMS and XMS memory management functions provide the building blocks used to support the Virtual Memory Manager system presented in Chapter 6. The full source for the VMM system is presented along with the EMS and XMS interface. A comprehensive memory management library is also provided on disk.

When you finish reading this book, you should understand the workings of EMS, XMS, and a Virtual Memory Management system. This understanding will allow you to take full advantage of EMS, XMS, and hard disk memory in your application programs. You'll have at your disposal a set of simple-to-use virtual dynamic memory allocation functions that permit your program access to memory areas in the multiple-megabyte range.

The book begins with a straightforward discussion of a PC's memory management scheme. Once the memory management overview is completed, Chapter 2 introduces the Memory Arena (as it's called by Microsoft) or the Memory Control Block (MCB—as it's known by much of the industry). A full blown Memory Control Block display program is presented.

Chapter 3 presents an explanation of EMS 3.0 & 3.2 functions. The chapter's demonstration programs are designed to exercise many EMS 3.0 & 3.2 functions. The source code and function prototype for each EMS function is presented along with the demonstration programs' source code.

Once you have a handle on using EMS 3.0 & 3.2 functions, Chapter 4 continues the EMS topic by exploring the EMS 4.0 expanded memory standard. Taking the lead from Chapter 3, most of the EMS 4.0 functions are prototyped and functions' source code is presented. The source code for EMS 4.0 demonstration programs is also listed in Chapter 4.

Chapter 5 introduces the Extended Memory Specification (XMS) 2.0. As with the EMS chapters, the full source for each function is presented along with XMS demonstration programs.

Chapter 6 presents the source code to a Virtual Memory Manager that enables you to, say, open up a two-megabyte area of memory for use in your application program. This dynamically allocated memory may be opened, written to, read from, and freed, as with standard dynamically allocated memory. The VMM interface functions are prototyped, and two VMM demonstration programs are also presented. We've taken great care in constructing the source code comments in this chapter, all in order to help facilitate your understanding of the VMM's complex inner workings.

# 1

# *Memory management overview*

Although many programmers feel that the segment-offset architecture of the 80x86 series of CPUs is indeed Byzantine, the CPUs work just fine. In the vernacular, "They get the job done!"

The 80x86 series of processors has two modes of operation: real mode (in which the CPU acts like an 8086/8088, with segment-offset addresses) and protected mode (in which a program has available to it a large, linear, virtual address space). Most MS-DOS and PC-DOS programs run in real mode. Accordingly, this book deals with memory management in real mode.

When you are programming in the real mode, as opposed to the 80286/80386/80486 protected mode, the CPU cannot address memory above 1 megabyte. Memory below 1M can be divided into two sections: Memory from 0K to 640K can be called *low memory*, and the memory from 640K to 1024K (1M) can be called the *upper memory area*. Memory above 1M can be called the *extended memory area*.

This chart lays it all out for you:

| Memory range | Name |
| --- | --- |
| 0K to 640K | Low memory area |
| 640K to 1M | Upper memory area |
| Above 1M | Extended memory area |

Memory below the 1M boundary is used for things like the PC's BIOS (Basic Input Output System), DOS (Disk Operating System), BIOS and DOS tables, interrupt vectors, device drivers, screen memory, and TSRs. What remains for program use is called the Transient Program Area (TPA).

Low memory is divided up into blocks of memory. Each block of memory in low memory is described by a Memory Control Block (MCB) structure. These blocks of memory contain information indicating the size of the memory block and whether this memory block is free or owned by a program.

DOS uses low memory to meet a variety of needs. Among them are DOS, DOS interrupt tables, interrupt vectors, device drivers and TSRs. Pre-DOS 5.0 users could find themselves with 450K (or less!) for their application program's use (the TPA).

Although DOS 5.0 and commercial memory management utility programs improve the memory management situation considerably by allowing users to load TSRs, device drivers, and DOS into upper memory, you're still limited by the paltry 640K boundary for the TPA.

Why the description of "paltry" for the 640K limit? Well, what happens if you need to dynamically allocate 1M of memory for a program's use? Simply stated, 640K "won't get the job done." As programs that software designers write become larger and increasingly complex, there is a crying need for ways to access more than 640K of memory.

One solution was to use disk storage as a substitute for RAM. Although this situation did work, using hard disk storage as a substitute for RAM proved very cumbersome. Disk access is a perceptible order of magnitude slower than RAM access. Programs that used the hard disk as a work-around the 640K limit were painfully slow. And, as you've heard before, time is money . . .

Hardware designers, however, proved up to the challenge of breaking the 640K boundary and expanded memory (EMS) came into being. EMS provided a clever page flipping scheme where chunks of extended memory could be mapped to an address in upper memory. Programs named *Expanded Memory Managers* (EMM) were designed to facilitate this hardware based page-flipping memory management scheme.

This arrangement proved quite workable because Lotus, Intel, and Microsoft (LIM) together created EMS standard. Having standards for EMS use proved essential for creating well behaved programs that would never corrupt another program's EMS-based data. Although page flipping was not as elegant as a RAM-based linear addressing scheme might have proved, it certainly beat using the hard disk!

The 80286 chip's hitting the market heralded the arrival of protected mode programming by allowing the CPU to now access memory above the 1M boundary. Memory above 1M became known as *extended memory*. DOS, however, is not a protected-mode operating system and does not have means of accessing the area of memory above 1M. For a time, using extended memory in your programs proved risky business because there wasn't a specification standard regulating extended memory usage.

In the late 1980's, however, the extended memory (XMS) specification version 2.0 appeared. The emergence of this XMS standard along with Microsoft's HIMEM.SYS XMS device driver allowed programmers to have access to extended memory in an orderly fashion.

DOS memory manager utility programs now allow inexpensive extended memory (XMS) to be reconfigured to function as expanded memory (EMS). This proves an economical solution. Many new-age 80386 motherboards allow for installation of many megabytes of XMS memory. Memory manager utility programs allow this extended memory to be divided up into various combinations of XMS and EMS.

At the time of this writing, real mode programmers currently have three distinct ways of breaking the 640K boundary for dynamic memory allocation uses. They are as follows:

- Using EMS page flipping scheme.
- Using extended memory.
- Using the hard disk drive as substitute RAM.

## Using expanded memory for dynamic memory allocation

An EMM program allocates a 64K segment of RAM between 640K and 1024K for use as what is called the *page frame area*. Four 16K blocks of RAM from above 1M may then be mapped to this page frame area by making calls to the EMM program.

The 64K page frame is composed of four 16K physical pages. The four physical pages are taken (really mapped) from a large collection of what are called *logical pages*. Let's try to visualize the relationship between 16K logical pages, 16K physical pages, and 64K page frames. Figure 1-1 shows one way of viewing the EMS physical and logical page relationship.

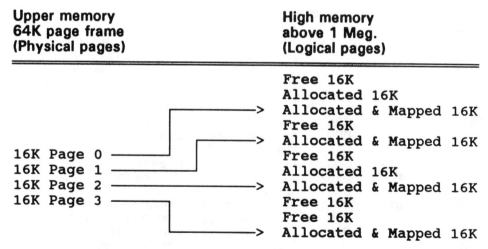

**Upper memory 64K page frame (Physical pages)**   **High memory above 1 Meg. (Logical pages)**

```
                                        Free 16K
                                        Allocated 16K
                              ————————> Allocated & Mapped 16K
                                        Free 16K
                              ————————> Allocated & Mapped 16K
16K Page 0 ———————            ————————> Free 16K
16K Page 1 ——————————————             Allocated 16K
16K Page 2 ——————————————————————————> Allocated & Mapped 16K
16K Page 3 ——————                       Free 16K
                                        Free 16K
                              ————————> Allocated & Mapped 16K
```

**1-1**   The EMS physical and logical page relationship.

The EMS page mapping process may be thought of being like this:

1. Map four different 16K logical pages to the four different 16K physical pages using your EMM.
2. Read from or write to physical pages.
3. Map new 16K logical pages to physical pages.
4. Go back to Step #2.

Table 1-1 presents a summary listing of the functions associated with EMS 3.0, 3.2, and 4.0.

Table 1-1    The EMS 3.0, 3.2, and 4.0 specification listing.

| Ver. | Funct. | Sub. | Description |
|------|--------|------|-------------|
| 3.0 | 40h | | Get EMS status |
| 3.0 | 41h | | Get EMS page frame address |
| 3.0 | 42h | | Get number of EMS 16K pages |
| 3.0 | 43h | | Allocate EMS handle and 16K pages |
| 3.0 | 44h | | Map EMS logical pages to physical pages |
| 3.0 | 45h | | Free EMS handle and logical pages |
| 3.0 | 46h | | Get EMS version installed |
| 3.0 | 47h | | Save EMS page map |
| 3.0 | 48h | | Restore EMS page map |
| 3.0 | 49h | | (Reserved for future use) |
| 3.0 | 4Ah | | (Reserved for future use) |
| 3.0 | 4Bh | | Get EMS handle count |
| 3.0 | 4Ch | | Get EMS handle pages |
| 3.0 | 4Dh | | Get all EMS pages for all handles |
| 3.2 | 4Eh | 00h | Save EMS page map |
| 3.2 | 4Eh | 01h | Restore EMS page map |
| 3.2 | 4Eh | 02h | Save and restore  EMS page map |
| 3.2 | 4Eh | 03h | Get size of EMS page map information |
| 4.0 | 4Fh | 00h | Save partial EMS page map |
| 4.0 | 4Fh | 01h | Restore partial EMS page map |
| 4.0 | 4Fh | 02h | Get size of partial EMS page map information |
| 4.0 | 50h | 00h | Map multiple EMS pages by number |
| 4.0 | 50h | 01h | Map multiple EMS pages by address |
| 4.0 | 51h | | Reallocate EMS pages for handle |
| 4.0 | 52h | 00h | Get EMS handle attribute |
| 4.0 | 52h | 01h | Set EMS handle attribute |
| 4.0 | 52h | 02h | Get EMS attribute capability |
| 4.0 | 53h | 00h | Get EMS handle name |
| 4.0 | 53h | 01h | Set EMS handle name |
| 4.0 | 54h | 00h | Get all EMS handle names |
| 4.0 | 54h | 01h | Search for EMS handle names |
| 4.0 | 54h | 02h | Get total EMS handles |
| 4.0 | 55h | 00h | Map EMS pages by number and JMP |
| 4.0 | 55h | 01h | Map EMS pages by address and JMP |
| 4.0 | 56h | 00h | Map EMS pages by number and CALL |
| 4.0 | 56h | 01h | Map EMS pages by address and CALL |
| 4.0 | 56h | 02h | Get space for EMS map page and CALL |
| 4.0 | 57h | 00h | Move memory region |

Table 1-1   Continued.

| Ver. | Funct. | Sub. | Description |
|------|--------|------|-------------|
| 4.0 | 57h | 01h | Exchange memory regions |
| 4.0 | 58h | 00h | Get addresses of mappable EMS pages |
| 4.0 | 58h | 01h | Get number of mappable EMS pages |
| 4.0 | 59h | 00h | Get hardware configuration |
| 4.0 | 59h | 01h | Get number of raw 16K pages |
| 4.0 | 5Ah | 00h | Allocate handle and standard EMS pages |
| 4.0 | 5Ah | 01h | Allocate handle and raw 16K pages |
| 4.0 | 5Bh | 00h | Get alternate EMS map registers |
| 4.0 | 5Bh | 01h | Set altername EMS map registers |
| 4.0 | 5Ch | | Prep EMM for warm boot |
| 4.0 | 5Dh | 00h | Disable EMM Operating System functions |
| 4.0 | 5Dh | 01h | Enable EMM Operating System functions |
| 4.0 | 5Dh | 02h | Release EMS access key |

We recommend that EMS be the first place a programmer look in order to break the 640K memory boundary limit for dynamic memory allocation.

## Using extended memory for dynamic memory allocation

We rate using XMS for extended memory usage as a second choice to the EMS method for the following reasons:

1. EMS allows mapping pages into addressable memory, while XMS requires data to be transferred to and from extended memory. Mapping is a much faster operation than transferring 16K of data.
2. EMS provides a richer set of functionality than XMS does.

Table 1-2 presents a listing of the XMS 2.0 specification.

## Using the hard disk for dynamic memory allocation

Using file I/O in C is a relatively straightforward task. Building extended level memory management functions based on DOS-based file I/O functions provides a useful back-up method for extended memory usage when the host computer doesn't have EMS or XMS memory available.

We deem the disk dynamic memory allocation management option as "backup" because it's painfully slow compared to RAM based methods.

## Summary

DOS is a real mode operating system and allows no more than 640K for a program's use. The memory available for a program's use is called the TPA (Transient Program Area).

**Table 1-2    The XMS 2.0 specification list.**

| Ver. | Funct. | Description |
|------|--------|-------------|
| 2.0 | 00h | Get XMS Version Number |
| 2.0 | 01h | Request High Memory Area |
| 2.0 | 02h | Release High Memory Area |
| 2.0 | 03h | Global Enable A20 |
| 2.0 | 04h | Global Disable A20 |
| 2.0 | 05h | Local Enable A20 |
| 2.0 | 06h | Local Disable A20 |
| 2.0 | 07h | Query A20 |
| 2.0 | 08h | Query Free Extended Memory |
| 2.0 | 09h | Allocate Extended Memory BLock |
| 2.0 | 0Ah | Free Extended Memory Block |
| 2.0 | 0Bh | Move Extended Memory Block |
| 2.0 | 0Ch | Lock Extended Memory Block |
| 2.0 | 0Dh | Unlock Extended Memory Block |
| 2.0 | 0Eh | Get Handle Information |
| 2.0 | 0Fh | Reallocate Extended Memory Block |
| 2.0 | 10h | Request Upper Memory Block |
| 2.0 | 11h | Release Upper Memory Block |

Many programs require far more memory than the 640K limit, and various memory management strategies come to the fore.

Using EMS for dynamic memory allocation proves both reliable and fast. The reliability of EMS was fostered by the emergence of the standard. Programming standards ensure well-behaved programs. EMS is our first choice for dynamic memory allocation because of the functionality associated with the EMS 3.0, 3.2, and 4.0 specifications, and the speed of mapping as opposed to the speed of data transfer.

Using XMS for dynamic memory allocation also proves fast and reliable. We rate using XMS for dynamic memory allocation second to using EMS because the XMS 2.0 specification has less functionality than the EMS specifications.

For these reasons, the memory management rating list naturally appears as follows:

1. EMS (expanded memory).
2. XMS (extended memory).
3. Hard disk drive.

# 2

# *Understanding Memory Control Blocks*

A complete understanding of memory management must include a description on how DOS handles memory allocation in low memory. Simply stated, DOS divides the 640K of low memory into a series of contiguous memory blocks. These memory blocks are sized in multiples of 16-byte memory paragraphs. This makes sense because the segment selector registers (DS,CS,ES,SS) think in paragraph boundaries and not single-byte boundaries.

DOS creates a one-paragraph (16-byte) section of memory that describes certain attributes of the block of memory associated with it. In this book, the one-paragraph memory block describer is called the MCB— Memory Control Block. Other industry sources have referred to it as the Memory Arena and Arena Header.

Your PC's low memory actually has many memory blocks that describe memory held by programs, device drivers, and free memory. As there is an MCB for each block of memory, these multiple MCBs have come to be known collectively as an *MCB chain*.

In memory, the MCB is immediately followed by the block of memory that it describes. Let's have a look at the MCB structure as it seemed to behave in pre-DOS 4.0 days. Note that I use the term "seemed to behave" because, in early Microsoft Documentation, the contents of the MCB were not delineated. In fact, the DOS call to locate the address of the first MCB is still an undocumented DOS call.

### Pre-DOS 4.0 MCB

```
typedef struct {
    char chain__status;
    unsigned int owner__psp;
```

```
            unsigned int size_paragraphs;
            char dummy[3];
            char reserved[8];
    } MCB;
```

The first element of the MCB structure is an 8-bit value that holds the status of the memory chain. If it holds an ASCII 'M', it means that there are more memory blocks in the memory block chain. If it holds an ASCII 'Z', then it means that this MCB is the last MCB in the chain.

The second element in the MCB holds the segment value of the PSP (Program Segment Prefix) of the program that owns the block of memory described by the MCB. DOS creates this 256-byte PSP when a program is loaded. In this chapter, we will use the following information from a program's PSP:

PSP segment value is used as program owner ID.
PSP:[0×2C] holds segment of program environment.
PSP:[0×80] holds program command line length.
PSP:[0×81] holds ASCII command line start.

The third element in the MCB structure contains a 16-bit int which contains the size of the memory block associated with the MCB in paragraphs. To calculate the size of the memory block in bytes, simply take the number of paragraphs and multiply that value by 16. (Of course, to assembly coders, shifting 4 bits left is much neater than multiplying by 16.)

Once you know the length of the memory block described by the MCB chain, it's very easy to find the next memory block in the chain. All you need to do is take the MCB's segment, add the size in paragraphs of the MCB to that segment, and then add 1 (for the MCB itself). Lo and behold, you'll then have the segment for the next MCB in the MCB chain.

Programs like MAPMEM, MEM, TDMEM, and PROG2-3.C (a memory display utility program is presented in FIG. 2-11) work by getting the segment of the first MCB, displaying some information, getting the next MCB, displaying more information, and continuing with that process until the end of the MCB chain is reached. Once you have access to the MCB, PSP, and program's environment, there are many things about the memory block owner that you can report.

The 8-byte fifth element's usage in DOS 4.0 and later holds the name (without extension) that owns that MCB's memory block. This eases the task of finding the MCB's owner program name because you no longer need to search the owner program's environment for the owner name.

Next is the MCB structure for the DOS 4.0 and later MCB:

## Post-DOS 4.0 MCB

```
typedef struct {
        char chain_status;
        unsigned int owner_psp;
        unsigned int size_paragraphs;
```

```
        char dummy[3];
        char file_name[8];
    } MCB;
```

Now that we've introduced the MCB and its structure, let's begin the code!

## Preparatory memory management routines

Figure 2-1 presents the source code listing to GMCBP.ASM. This large model assembly routine returns a far pointer to the first MCB in the memory chain in the DX:AX registers using an undocumented DOS call. We don't ever like using any undocumented calls, but we don't know of another way to get the segment of the first MCB.

**2-1**  The source code listing to GMCBP.ASM.

```
;******************************************************************
;*** GMCBP.ASM                                              ***
;***                                                        ***
;*** VFP getMcbPointer(void)                                ***
;***                                                        ***
;*** Returns a far pointer to the first MCB                 ***
;***                                                        ***
;******************************************************************

;-------------------------------------------
; Large model, C language
;
        .Model   Large,C

;-------------------------------------------
; declare name public
;
        Public   getMcbPointer

;-------------------------------------------
; begin code segment
;
        .Code

;-------------------------------------------
; begin program
;
getMcbPointer PROC

;-------------------------------------------
; get list of lists via DOS int 21h
;
        mov     ah,52h
        int     21h
```

```
;-------------------------------------
; prepare to return far pointer to
; first Mem Control Block via DX:AX
;

        mov     dx,word ptr es:[bx-2]
        sub     ax,ax

;-------------------------------------
; return to caller from procedure
;

        ret

;-------------------------------------
; end of getMcbPointer procedure

getMcbPointer    ENDP


    END


;****************************************************************
;***    End of getMcbPointer.asm                            ***
;****************************************************************
```

Note that all the assembly listings have been assembled using Micro-soft's MASM 5.1 and Borland's TASM assemblers. We've decided to work in the large memory model because we anticipate that most programs requiring sophisticated memory management will be probably written in the large memory model.

Here's the MASM batch file we used to assemble the assembly modules. The batch file is named A.BAT.

```
masm /ml %1;
```

Here's the TASM batch file we used to assemble the assembly modules.

```
tasm /jMSC51 /ml %1
```

You can assemble the listing in FIG. 2-1 from the command line by typing

```
a gmcbp
```

and then pressing Enter.

To add GMCBP.OBJ to a library, we use a simple batch file; we've named our batch file ADDLIB.BAT. If you're using Borland's C++, you can use this version of ADDLIB.BAT:

```
tlib mcbl +%1
```

If you're using Microsoft C, then you are able to use this version of ADDLIB.BAT:

```
lib mcbl +%1;
```

Figure 2-2 presents the source code listing to GVECP.ASM. This routine calls the documented interrupt 21h subcode 35h, which returns a specified interrupt vector. This function will be used by the memory display programs to determine if any of the system vectors have been redirected to point to within the program's memory block.

**2-2** The source code listing to GVECP.ASM.

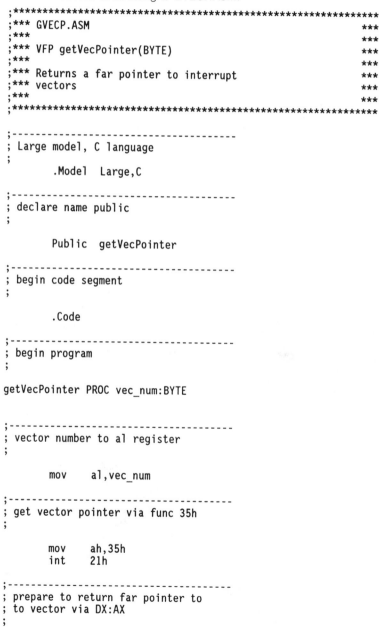

```
;****************************************************************
;*** GVECP.ASM                                            ***
;***                                                      ***
;*** VFP getVecPointer(BYTE)                              ***
;***                                                      ***
;*** Returns a far pointer to interrupt                   ***
;*** vectors                                              ***
;***                                                      ***
;****************************************************************


;-----------------------------------------
; Large model, C language
;
        .Model  Large,C

;-----------------------------------------
; declare name public
;

        Public  getVecPointer

;-----------------------------------------
; begin code segment
;

        .Code

;-----------------------------------------
; begin program
;

getVecPointer PROC vec_num:BYTE


;-----------------------------------------
; vector number to al register
;

        mov     al,vec_num

;-----------------------------------------
; get vector pointer via func 35h
;

        mov     ah,35h
        int     21h

;-----------------------------------------
; prepare to return far pointer to
; to vector via DX:AX
;
```

```
        mov     dx,es
        mov     ax,bx

;-----------------------------------
; return to caller from procedure
;

        ret

;-----------------------------  ---
; end of getMcbPointer procedure

getVecPointer   ENDP

    END

;****************************************************************
;***     End of getVecPointer.asm                          ***
;****************************************************************
```

Figure 2-3 presents the source code listing to GDEVP.ASM. This routine calls the undocumented interrupt 21h subcode 52h, which returns a specified interrupt vector to the beginning of the computer's device driver list.

**2-3**  The source code listing to GDEVP.ASM.

```
;****************************************************************
;*** GDEVP.ASM                                             ***
;***                                                       ***
;*** VFP getDevPointer(void)                               ***
;***                                                       ***
;*** Returns a far pointer to device list                  ***
;***                                                       ***
;****************************************************************

;-----------------------------------
; Large model, C language
;

        .Model  Large,C

;-----------------------------------
; declare name public
;

        Public  getDevPointer

;-----------------------------------
; begin code segment
;

        .Code

;-----------------------------------
; begin program
;
```

```
getDevPointer PROC

;----------------------------------------
; get list of lists via DOS int 21h
;

        mov     ah,52h
        int     21h

;----------------------------------------
; prepare to return far pointer to
; Device List via DX:AX
;

        mov     dx,es
        mov     ax,bx
    add     ax,22h

;----------------------------------------
; return to caller from procedure
;

        ret

;----------------------------------------
; end of getDevPointer procedure

getDevPointer   ENDP


;****************************************************************
;***     End of getDevPointer.asm                          ***
;****************************************************************
```

Figure 2-4 presents the source code listing to BDWRITE.ASM. This listing provides a BIOS method of writing a string of text to the screen while controlling the display attribute and row and column location of the string write start. Function bdWrite(...) is used in PROG2-3.C (FIG. 2-11) to pretty up the memory display program. A final note on this function: bdWrite(...) will not work on an old BIOS PC or XT, as they do not support interrupt 10h subcode 13h.

**2-4** The source code listing to BDWRITE.ASM.

```
;****************************************************************
;***     BDWRITE.ASM                                       ***
;***                                                       ***
;***     void bdwrite(BYTE row,                            ***
;***                  BYTE col,                            ***
;***                  BYTE len,                            ***
;***                  CFP  string,                         ***
;***                  BYTE attr);                          ***
;***                                                       ***
;***     Returns nothing                                   ***
;***                                                       ***
```

```
;***                                                      ***
;*** write string to page O screen                       ***
;*** controlling row, col, length,                       ***
;*** and attribute                                       ***
;***                                                      ***
;*** ah      -> 13h function                             ***
;*** al      -> al O means char string &                 ***
;***            no cursor update                         ***
;*** bh      -> video page                               ***
;*** bl      -> video attribute                          ***
;*** cx      -> string length                            ***
;*** dh      -> row to start string write                ***
;*** dl      -> col to start string write                ***
;*** es:[bp] -> points to string                         ***
;***                                                      ***
;*****************************************************************
;
;-----------------------------------------
; Large model, C language
;
        .Model  Large,C

;-----------------------------------------
; declare name public
;

        Public  bdwrite

;-----------------------------------------
; begin code segment
;

        .Code

;-----------------------------------------
; begin program
;


bdwrite PROC row:BYTE,col:BYTE,len:WORD,string:FAR PTR DWORD,attr:BYTE

;-----------------------------------------
; row to dh
;

        mov     dh,row

;-----------------------------------------
; col to dl
;

        mov     dl,col

;-----------------------------------------
; len to cx
;

        mov     cx,len
```

```
;-------------------------------------
; attribute goes to al -> bl

        mov     al,attr

;-------------------------------------
; string segment to es:[bp]
;

        les     bx,string
        mov     bp,bx

;-------------------------------------
; set bl to attr and bh to 0

        sub     bh,bh
        mov     bl,al

;-------------------------------------
; video write BIOS func 13h

        mov     ah,13h

;-------------------------------------
; write mode 0, chars only
;                 cursor not updated

        sub     al,al

;-------------------------------------
; invoke BIOS for string write

        int     10h

;-------------------------------------
; return to caller from procedure
;
        ret

;-------------------------------------
; bdwrite

bdwrite     ENDP

        END

;****************************************************************
;***    End of bdwrite.asm                                   ***
;****************************************************************
```

# Writing a memory chain display utility program

Quite a few fine memory display utility programs are on the market today. The purpose of the sample programs presented in this chapter is to clearly demonstrate how the information contained in the MCB and PSP might be obtained. We believe that a programming example is worth more than a thousand words.

Figure 2-5 presents the source code listing to GDEFS.H. This global definition file should be included as the first include file in all your applications programs before any of the other include files presented in the book.

**2-5** The source code listing to GDEFS.H.

```
/////////////////////////////////////
//
// gdefs.h
//
// Global definition file for
//      MCBL.LIB
//      EMSL.LIB
//      XMSL.LIB
//      VML.LIB
//
/////////////////////////////////////

#define TRUE    1

#define FALSE   0

typedef unsigned int    WORD;
typedef unsigned char   BYTE;
typedef unsigned long   DWORD;

typedef void far        *VFP;
typedef WORD far        *WFP;
typedef BYTE far        *BFP;


/////////////////////////////////////
//
// MK_FP macro needed for MSC
//
/////////////////////////////////////

#ifdef MSC
#define MK_FP(s, o) ((VFP)(((DWORD)(s) << 16) + (WORD)(o)))

//
// MSC has highly bogus FP_OFF and FP_SEG macros which take the
// address of the argument, requiring an lvalue and disallowing,
// for example, taking the address of an array. We replace with
// the obvious macros.
//
#undef FP_OFF
#undef FP_SEG
#define FP_OFF(x)   ((WORD) (((DWORD) (x)) & 0xFFFF))
#define FP_SEG(x)   ((WORD) (((DWORD) (x)) >> 16))

#endif


//
// Define a macro to translate a seg:offset into a physical address.
//
#define SegOffToPhys(p)     (((((unsigned long) FP_SEG(p)) << 4) + \
                            (unsigned long) FP_OFF(p))
```

```
//
//  And a macro to translate a segment into a physical address.
//
#define SegToPhys(s)        ((unsigned long) s << 4)


/////////////////////////
//
// attribute define values
//

#define BLACK    0
#define BLUE     1
#define GREEN    2
#define CYAN     3
#define RED      4
#define MAGENTA  5
#define BROWN    6
#define WHITE    7
#define NORMAL   7
#define REVERSE  112

#define ON_INTENSITY  8
#define OFF_INTENSITY 0
#define ON_BLINK      128
#define OFF_BLINK     0


//
//  Define some macros to hide difference between
//  Microsoft and Turbo.
//
#if     defined(MSC)

#include    <malloc.h>

#define memleft()       (((long) _freect(512)) * 512)
#define farmalloc(n)    halloc(n, 1)
#define farfree(p)      hfree(p)

#elif   defined(TURBOC)

#include    <alloc.h>

#define memleft()   (farcoreleft())

#endif


//
//  Define some macros for register usage
//
#define     REGISTERS       union REGS regs; struct SREGS sregs
#define     R_AX            regs.x.ax
#define     R_BX            regs.x.bx
#define     R_CX            regs.x.cx
#define     R_DX            regs.x.dx
#define     R_SI            regs.x.si
#define     R_DI            regs.x.di
#define     R_CY            regs.x.cflag
#define     R_AL            regs.h.al
```

```
#define      R_AH             regs.h.ah
#define      R_BL             regs.h.bl
#define      R_BH             regs.h.bh
#define      R_CL             regs.h.cl
#define      R_CH             regs.h.ch
#define      R_DL             regs.h.dl
#define      R_DH             regs.h.dh
#define      R_ES             sregs.es
#define      R_CS             sregs.cs
#define      R_SS             sregs.ss
#define      R_DS             sregs.ds
#define      interrupt(n)     int86x(n, &regs, &regs, &sregs)
```

Figure 2-6 presents the source code listing to MCBDEFS.H. This C header file should be included in all the C source files in this chapter. It contains structure definitions, #defines, and function prototypes.

**2-6** The source code listing to MCBDEFS.H.

```
////////////////////////////////////
//
// mcbdefs.h
//
// Header file for the MCB functions
// in mcb1.lib
//
////////////////////////////////////


////////////////////////////////////
//
// Memory Control Block Structure
//
////////////////////////////////////


typedef struct {
    char chain_status;
    unsigned int owner_psp;
    unsigned int size_paragraphs;
    char dummy[3];
    char file_name[8];
} MCB;



////////////////////////////////////
//
// function prototypes
//

// (asm) get pointer to first memory block

MCB far *getMcbPointer(void);

// (asm) return pointer to inverrupt vector
```

```
long far getVecPointer(unsigned char);

// (asm) writes buffer to screen where the
//       row, col, and attribute are controlled

void far bdwrite(unsigned char row,
                 unsigned char col,
                 unsigned int len,
                 char *string,
                 unsigned char attribute);
```

Figure 2-7 presents the source code listing to PROG2-1.C. This program steps through the MCB memory chain and displays the MCB status, MCB segment value, PSP segment value, and the size of the memory block in 16-byte paragraphs.

**2-7** The source code listing to PROG2-1.C.

```
/////////////////////////////////////
//
// prog2-1.c
//
// Demonstration of
//    getMcbPointer(...)
//
/////////////////////////////////////

////////////////////////////
// include files here

#include <stdio.h>
#include <memory.h>
#include <dos.h>
#include "gdefs.h"
#include "mcbdefs.h"

////////////////////////////
// declare MCB
// structure

MCB *mcbptr;

////////////////////////////
// begin program

void
main()
{
    char buff80[80];

    ////////////////////////////
    // fill Mem Cntl
    // block with info

    mcbptr= getMcbPointer();
```

```
//////////////////////
// print header

printf("\n\nBax Boy's Memory Display Program  (Rev .1) \n\n");
printf("CHAIN    MCB    PSP    PARAGRAPHS \n");
printf("-----------------------------------\n");


//////////////////////
// loop and print MCB
// information

for (;;) {

    //////////////////////
    // clear 80 byte buffer

    memset(buff80,0,80);

    //////////////////////
    // format buffer to print
    // primitave information

    sprintf(buff80,
        "%c        %04X    %04X    %6u",
        mcbptr->chain_status,
        FP_SEG(mcbptr),
        mcbptr->owner_psp,
        (mcbptr->size_paragraphs));

    //////////////////////
    //  print the string

    printf("%s\n", buff80);

    //////////////////////
    // if the 'Z' is reached
    // then break

    if (mcbptr->chain_status == 'Z') {
        break;
        }

    //////////////////////
    // otherwise add
    // paragraph size to
    // pointer segment
    // and add 1 to cover mcb

    else {
        mcbptr= MK_FP(FP_SEG(mcbptr)+mcbptr->size_paragraphs+1, 0);
        }
    }
}

//
// end of prog2-1.c
//////////////////////////////////////
```

The demonstration programs have been compiled and tested using both Microsoft C (6.0) and Borland C$^{++}$. As with assembly, we use batch files to compile and link our demonstration programs. Next is the compile and link batch file for Borland C users; it's called CCL.BAT.

```
bcc -ml -w -DTURBOC %1.c mcbl.lib emsl.lib xmsl.lib vml.lib
```

The CCL.BAT file for Microsoft C users is as follows:

```
cl /Zp /AL /Gd /W3 -DMSC %1.c mcbl.lib emsl.lib xmsl.lib vml.lib
```

Note the /Zp switch on the Microsoft C command line. This switch tells the compiler to PACK structures. This is an essential ingredient in getting the Microsoft demonstration programs to work because the default MCB structure starts with an 8-bit value. If you don't select packing, then the compiler will default to using 16-bit values for all 8-bit values.

Note that we are using all the libraries presented in this book in these batch files:

| Library name | Use |
| --- | --- |
| MCBL.LIB | Large model MCB display library |
| EMSL.LIB | Large model EMS library functions |
| XMSL.LIB | Large model XMS library functions |
| VML.LIB | Large model VMM library functions |

EMSL.LIB, XMSL.LIB, and VML.LIB will be examined in detail later in the book.

Let's compile PROG2-1.C. From the command line, type

```
ccl prog2-1
```

and press Enter.

Figure 2-8 presents the screen output of PROG2-1.EXE as reported by my computer.

```
           Bax Boy's Memory Display Program   (Rev .1)

           CHAIN   MCB    PSP    PARAGRAPHS
           ------------------------------------
           M       026C   0008      431
           M       041C   0008        4
           M       0421   0422      148
           M       04B6   0000        4
           M       04BB   0422       64
           M       04FC   050E       16
           M       050D   050E      832
           Z       084E   0000    38832
```

**2-8**  The screen output for PROG2-1.EXE.

Figure 2-9 presents the source code listing to PROG2-2.C. This program removes the MCB segment report from PROG2-1's display, calculates the memory block size in bytes, and prints the program owner name.

**2-9** The source code listing to PROG2-2.C.

```
//////////////////////////////////////
//
// prog2-2.c
//
// Demonstration of
//    getMcbPointer(...)
//
//////////////////////////////////////


/////////////////////////
// include files here

#include <stdio.h>
#include <memory.h>
#include <dos.h>
#include "gdefs.h"
#include "mcbdefs.h"

/////////////////////////
// declare MCB
// structure

MCB *mcbptr;

/////////////////////////
// begin program

void
main()
{
    char      buff80[80];
    char      far *env;
    char      env20[20];
    unsigned int envseg;
    int       ctrl;
    unsigned int *temp;

    /////////////////////////
    // fill Mem Cntl
    // block with info

    mcbptr= getMcbPointer();

    /////////////////////////
    // print header

    printf("\n");
    printf("Bax Boy's Memory Display Program (Rev .2)\n\n");
    printf(" PSP   SIZE     PROGRAM    \n");
    printf("----- ------    ---------- \n");


    /////////////////////////
    // loop and print MCB
    // information

    for(;;) {
```

```
///////////////////////
// clear 80 byte buffer

memset(buff80, 0, 80);

///////////////////////
// format buffer to print
// primitave information

sprintf(buff80,
        "%04X  %6ld   ",
        mcbptr->owner_psp,
        (long)(mcbptr->size_paragraphs)<<4);

///////////////////////
//  print the string

printf("%s",buff80);

///////////////////////
// if PSP is 0 then
// memory is free

if(!mcbptr->owner_psp)
    printf("(free mem)");

///////////////////////
// if PSP is 8 then
// print config

else if(mcbptr->owner_psp==0x08)
        printf("config");

///////////////////////
// otherwise it's a file
// so print the program
// name

else
    {
    ///////////////////////
    // get environment
    // segment pointer

    temp = (unsigned int *)MK_FP(mcbptr->owner_psp,0x2c);

    ///////////////////////
    // get program environ-
    // ment segment

    envseg = (int)*temp;

    ///////////////////////
    // set pointer to
    // environment

    env = MK_FP(envseg,0);

    ///////////////////////
```

**2-9** Continued.

```
// search environment
// for the file name
for(;;)
    {
    /////////////////////////
    // if env points to
    // double 0s then break

    if(!*(env)&&!*(env+1))
        break;

    /////////////////////////
    // else continue search
    // for double 0s

    else
        env++;
    }

/////////////////////////
// bypass double 0s and

env += 2;

/////////////////////////
// search for executable
// filename .

while(*(env)!='.')
    env++;

/////////////////////////
// backspace to back-
// slash which precedes
// executable filename

while(*(env)!= '\\')
    env--;

/////////////////////////
// point to first letter
// of filename

env++;

/////////////////////////
// clear file name buffer

memset(env20,0,20);

/////////////////////////
// copy filename to
// buffer

for(ctrl=0; ctrl<12; ctrl++)
    {
```

```
                    ////////////////////////
                    // when . found then
                    // copy dot and ext and
                    // exit copy loop

                    if(*env=='.')

                        {
                        env20[ctrl++] = *env++;
                        env20[ctrl++] = *env++;
                        env20[ctrl++] = *env++;
                        env20[ctrl++] = *env++;
                        ctrl = 12;
                        }
                    ////////////////////////
                    // otherwise copy byte
                    // to the filename
                    // buffer

                    else
                        env20[ctrl] = *env++;
                    }

            ////////////////////////
            //  print the filename

            printf("%s",env20);
            }

    ////////////////////////
    // carriage return here

    printf("\n");

    ////////////////////////
    // if the 'Z' is reached
    // then break

    if(mcbptr->chain_status=='Z')
        break;

    ////////////////////////
    // otherwise add
    // paragraph size to
    // pointer segment and
    // add 1 to cover mcb

    else
        mcbptr = MK_FP(FP_SEG(mcbptr)+mcbptr->size_paragraphs+1,0);
    }

}

//
// end of prog2-2.c
///////////////////////////////////////
```

Figure 2-10 presents the program listing output for PROG2-2 on my computer.

```
Bax Boy's Memory Display Program (Rev .2)

   PSP    SIZE    PROGRAM
  -----  ------  -----------
   0008   6896    config
   0008     64    config
   0422   2368    COMMAND.COM
   0000     64    (free mem)
   0422   1024    COMMAND.COM
   050E    256    PROG2-2.EXE
   050E  14336    PROG2-2.EXE
   0000 620288    (free mem)
```

**2-10** The screen output for PROG2-2.EXE.

Figure 2-11 presents the source code listing to PROG2-3.C. This very long program presents a more polished version of PROG2-1 and PROG2-2. Note that PROG2-3 takes some options as the first parameter on the command line. They are as follows:

| Parameter | Meaning |
|-----------|---------|
| (none) | Standard MCB display |
| /H,/h,/? | PROG2-3 help |

**2-11** The source code listing to PROG2-3.C.

```c
//////////////////////////////////////
//
// prog2-3.c
//
// A slightly more comprehensive
// Memory Display Utility
//
//////////////////////////////////////

////////////////////////
// defines here

////////////////////////
// include files here

#include <stdlib.h>
#include <stdio.h>
#include <memory.h>
#include <string.h>
#include <dos.h>
#include <conio.h>
#include <ctype.h>
#include "gdefs.h"
#include "mcbdefs.h"


////////////////////////
// prototypes
//
void adjust_column(BYTE location);
WORD get_prog_psp(void);
```

```
void clear_screen(void);
BYTE get_cursor_row(void);
void newline(void);
void print_bars(void);
void separate_line(void);
void bottom_line(void);
void getDosVersion(void);

///////////////////////////
// declare MCB
// structures

MCB *mcbptr;
MCB *next_mcbptr;
MCB *next1_mcbptr;

///////////////////////////
// global variables


BYTE maj_ver;
WORD min_ver;

///////////////////////////
// horizontal line
// array

char buff196[80] = {

    196, 196, 196, 196, 196, 196, 196, 196, 196, 196,
    196, 196, 196, 196, 196, 196, 196, 196, 196, 196,
    196, 196, 196, 196, 196, 196, 196, 196, 196, 196,
    196, 196, 196, 196, 196, 196, 196, 196, 196, 196,
    196, 196, 196, 196, 196, 196, 196, 196, 196, 196,
    196, 196, 196, 196, 196, 196, 196, 196, 196, 196,
    196, 196, 196, 196, 196, 196, 196, 196, 196, 196,
    196, 196, 196, 196, 196, 196, 196, 196, 196, 196 };

///////////////////////////
// blank line
// array

char buff32[80] = {
    32, 32, 32, 32, 32, 32, 32, 32, 32, 32,
    32, 32, 32, 32, 32, 32, 32, 32, 32, 32,
    32, 32, 32, 32, 32, 32, 32, 32, 32, 32,
    32, 32, 32, 32, 32, 32, 32, 32, 32, 32,
    32, 32, 32, 32, 32, 32, 32, 32, 32, 32,
    32, 32, 32, 32, 32, 32, 32, 32, 32, 32,
    32, 32, 32, 32, 32, 32, 32, 32, 32, 32,
    32, 32, 32, 32, 32, 32, 32, 32, 32, 32 };

///////////////////////////
// global screen
// attributes

BYTE attr;
BYTE attr1;

///////////////////////////
```

**2-11** Continued.

```
// declare for array
// of vector pointers

long vectors[256];
int vec_altered[256];

////////////////////////
// begin program

void
main(int argc, char **argv)
{
    char buff80[80];
    char far *env;
    char far *cmdptr;
    char far *f2e;
    char env20[20];
    char cmd40[40];
    WORD seg2e;
    WORD vecseg;
    WORD envseg;
    WORD prog_psp;
    BYTE len;
    int  ctr1, ctr2;
    int  blocks=0;
    int  free_blocks=0;
    WORD *temp;
    long free_memory=0;
    long program_size=0;
    WORD verbose = 0;
    WORD help = 0;
    WORD free_flag = 0;
    WORD is_same_prog = 0;

    ////////////////////////
    // check verbose flag
    // and set to 1 on
    // '/v' command line
    // parameter
    //

    if(argc && (!strncmp("/v", argv[1], 2) ||
                !strncmp("/V", argv[1], 2))) {
        verbose= 1;
    }

    ////////////////////////
    // check help flag
    // and set to 1 on
    // '/h' command line
    // parameter
    //

    if(argc && (!strncmp("/h", argv[1], 2) ||
                !strncmp("/H", argv[1], 2) ||
                !strncmp("/?", argv[1], 2))) {
        help= 1;
    }
```

```
/////////////////////////
// create  attribute
// where
// FORE -> BLACK
// BACK -> WHITE
// OFF_INTENSITY
// OFF_BLINK

attr= 0;
attr= WHITE;
attr<<= 4;
attr |= BLACK;
attr |= OFF_INTENSITY;
attr |= OFF_BLINK;

/////////////////////////
// create  attribute
// where
// FORE -> WHITE
// BACK -> BLUE
// OFF_INTENSITY
// OFF_BLINK

attrl= 0;
attrl= BLUE;
attrl<<= 4;
attrl |= WHITE;
attrl |= OFF_INTENSITY;
attrl |= OFF_BLINK;

/////////////////////////
// get DOS version

getDosVersion();

/////////////////////////
// get pointer to int
// 2eh (points in
// command com code


/////////////////////////
// convert far pointer
// to segment value

seg2e= FP_SEG(f2e) + (FP_OFF(f2e)/16);

/////////////////////////
// get program psp

prog_psp= (WORD) get_prog_psp();

/////////////////////////
// fill Mem Cntl
// block with info

mcbptr= getMcbPointer();

/////////////////////////
// get next mcb pointer
```

```
next_mcbptr= MK_FP(FP_SEG(mcbptr) + mcbptr->size_paragraphs + 1, 0);

///////////////////////
// get next mcb pointer
// because there are
// times when a program
// with more than one
// block will not be
// contigusus

next1_mcbptr= MK_FP(FP_SEG(next_mcbptr) + next_mcbptr->size_paragraphs + 1, 0);

///////////////////////
//  clear the screen

clear_screen();

///////////////////////
// print header


///////////////////////
// write blank line to
// top row

bdwrite(0, 0, 80, buff32, attr1);

///////////////////////
// write program title
// to top of screen

bdwrite(0,        // at row
        16,       // at col
        48,       // length  (message below)
        "   Baby Bax's Memory Display Program  (V 1.0)    ",
        attr1);  // with this attribute

///////////////////////
// move cursor to new
// line and update
// counter

newline();

///////////////////////
// if help invoked

if (help) {

    ///////////////////////
    // place the cursor

    newline();
    newline();

    ///////////////////////
    // print help messages
```

```
                    printf("Program Syntax: prog2-3 [option]\n\n");
                    printf("Options:\n");
                    printf("   /V  => Verbose reports every MCB block\n");
                    printf("   /H  => Help information\n");
                    printf("   /?  => Help information\n");

                    ////////////////////////
                    // place the cursor

                    newline();
                    newline();

                    ////////////////////////
                    // exit to DOS

                    exit(0);
                    }


        ////////////////////////
        // write blank line
        // to screen

        bdwrite(1, 0, 80, buff32, attr);

        ////////////////////////
        // write msg line
        // to screen

        bdwrite(1,
                0,
                41,
                "PSP   SIZE  BL PROGRAM       COMMAND  LINE",
                attr);

        ////////////////////////
        // write msg line
        // to screen

        bdwrite(1,
                54,
                15,
                "HOOKED   VECTORS",
                attr);

        ////////////////////////
        // move cursor to new
        // line and update
        // counter

        newline();

        ////////////////////////////////////////
        // if not verbose then
        // use this looping
        // sequence
        //
        // Not Verbose means that all memory
```

**2-11** Continued.

```
// blocks associated with a single
// PSP will be pooled together

if (!verbose) {



/////////////////////////
// loop and print MCB
// information

 for (;;) {

    /////////////////////////
    // if the PSP is then the
    // memory block is free
    // so collect free memory
    // and bypass print

    if(!mcbptr->owner_psp) {

        /////////////////////////
        // add up free memory
        // paragraphs

        free_memory += mcbptr->size_paragraphs;

        /////////////////////////
        // increment block
        // counter

        free_blocks++;

        /////////////////////////
        // quick jump to avoid
        // printing freem mem
        // info

        goto    no_print;
        }

    /////////////////////////
    // if the PSP is this
    // program's psp then
    // add this program's
    // used memory to
    // free memory

    if(mcbptr->owner_psp == prog_psp) {

        /////////////////////////
        // add up free memory
        // paragraphs

        free_memory+= mcbptr->size_paragraphs;

        /////////////////////////
        // quick jump to avoid
```

```
                              // printing freem mem
                              // info

                              goto no_print;
                              }

          ////////////////////////
          // if next block PSP is
          // the same as current
          // PSP collect program
          // size and bypass print

          if ( (mcbptr->owner_psp == next_mcbptr->owner_psp) ||
               (mcbptr->owner_psp == next1_mcbptr->owner_psp) ) {

                    ////////////////////////
                    // add up program memory
                    // paragraphs

                    program_size+= mcbptr->size_paragraphs;

                    ////////////////////////
                    // increment block
                    // counter

                    blocks++;

                    ////////////////////////
                    // quick jump to avoid
                    // printing freem mem
                    // info

                    goto no_print;
                    }

          else {

                    ////////////////////////
                    // add up program memory
                    // paragraphs

                    program_size+= mcbptr->size_paragraphs;
                    }

          ////////////////////////
          // increment block
          // counter

          blocks++;

          ////////////////////////
          // clear 80 byte buffer

          memset(buff80, 0, 80);

          ////////////////////////
          // format buffer to print
          // primitave information

          sprintf(buff80,
```

```
        "%04X %6ld %2d ",
        mcbptr->owner_psp,
        (long)(program_size) << 4,
        blocks);

//////////////////////////
//  print the string

printf("%s", buff80);

//////////////////////////
// reset program_size
// to 0

program_size= 0;

//////////////////////////
// reset blocks counter
// to 0

blocks = 0;


//////////////////////////
// if 2e points within
// the mem block them
// is COMMAND

if (seg2e >= FP_SEG(mcbptr) &&
    seg2e <= FP_SEG(mcbptr) + (mcbptr->size_paragraphs)) {

    printf("COMMAND");
    print_bars();
    goto prog_name_done;
    }

//////////////////////////
// if PSP is 8 then
// print config

else if (mcbptr->owner_psp == 0x08) {

    printf("CONFIG");
    print_bars();
    goto prog_name_done;
    }

//////////////////////////
// if DOS is version 4
// or higher then look
// to MCB structure for
// file name

else if (maj_ver >= 4) {

    if (strlen(mcbptr->file_name) > 8) {
        printf("(N/A)");
        }
```

```c
        else if (!isalnum(mcbptr->file_name[0]))  {
            printf("(N/A)");
            }

        else {
            printf("%s", mcbptr->file_name);
            }

        print_bars();

        goto prog_name_done;
        }

    //////////////////////////
    // if far pointer to
    // parent MCB is 0 then
    // print N/A

    else if (!MK_FP(mcbptr->owner_psp-1, 0)) {

        printf("(N/A)");

        print_bars();

        goto prog_name_done;
        }

    //////////////////////////
    // otherwise it's a file
    // so print the program
    // name

    else {

        //////////////////////////
        // get environment
        // segment pointer

        temp= (WORD *)MK_FP(mcbptr->owner_psp, 0x2c);

        //////////////////////////
        // get program environ-
        // ment segment

        envseg= (int)*temp;

        //////////////////////////
        // set pointer to
        // environment

        env= MK_FP(envseg, 0);

        //////////////////////////
        // search environment
        // for the file name

        for (;;) {

            //////////////////////////
            // if env points to
```

```
    // double 0s then break

    if (!*(env) && !*(env + 1)) {
        break;
        }

    /////////////////////////
    // else continue search
    // for double 0s

    else {
        env++;
        }
    }

/////////////////////////
// search for executable
// filename .

while (*(env++) != '.');

/////////////////////////
// backspace to back-
// slash which precedes
// executable filename

while (*(env) != '\\') {
    env--;
    }

/////////////////////////
// point to first letter
// of filename

env++;

/////////////////////////
// clear file name buffer

memset(env20, 0, 20);

/////////////////////////
// copy filename to
// buffer

for (ctrl= 0; ctrl < 12; ctrl++) {

    /////////////////////////
    // when . found then
    // copy dot and ext and
    // exit copy loop

    if (*env == '.') {

        env20[ctrl++]= 0;

        ctrl= 12;
```

```
                        }

                        /////////////////////////
                        // otherwise copy byte
                        // to the filename
                        // buffer

                        else {
                            env20[ctrl] = *env++;
                            }
                        }

                    /////////////////////////
                    //  print the filename

                    if (!isalnum(env20[0]) ||
                        !isalnum(env20[1]) ||
                        !isalnum(env20[2])
                        !isalnum(env20[3])
                        !isalnum(env20[4])
                        !isalnum(env20[5])
                        !isalnum(env20[6]) ||
                        !isalnum(env20[7])) {
                        printf("(N/A)");
                        }

                    else {
                        printf("%s", env20);
                        }

prog_name_done:

                    /////////////////////////
                    // adjust column for
                    // command line print

                    adjust_column(23);

                    /////////////////////////
                    // clear command line
                    // buffer

                    memset(cmd40, 0, 40);

                    /////////////////////////
                    // get far pointer to
                    //  command line length

                    cmdptr= MK_FP(mcbptr->owner_psp, 0x80);

                    /////////////////////////
                    // set command line
                    // length variable

                    len= (BYTE)*cmdptr++;

                    /////////////////////////
                    // if length is not 0
                    // then print command
                    // line
```

**2-11** Continued.

```
if (len) {

    for (ctrl= 0; ctrl < (int)len; ctrl++) {

        if (ctrl > 20) {
            break;
            }
        cmd40[ctrl]= *cmdptr++;
        }

    printf("%s", cmd40);
    }


///////////////////////
// get pointers to
// vectors into array

for (ctrl= 0; ctrl < 256; ctrl++) {

    vectors[ctrl]= getVecPointer((BYTE)ctrl);
    }

///////////////////////
// check to see if
// vector points into
// program memory

///////////////////////
// clear vec_altered
// array

for (ctrl= 0; ctrl < 256; ctrl++) {

    vec_altered[ctrl]= 0;
    }

///////////////////////
// vec_altered[] holds
// a list of far
// pointers. Take vec
// offset and convert to
// segment paragraph by
// dividing by 16. Then
// add the altered vec
// offset to the vec
// segment. The hooked
// vector converted
// segmen will fall
// within the program's
// segment boundaries.
///////////////////////

///////////////////////
// check vec by vec

for (ctrl= 0, ctr2= 0; ctrl < 256; ctrl++) {
```

```
/////////////////////////
// convert vec far ptr
// to segment value

vecseg= FP_SEG(vectors[ctrl]) + (FP_OFF(vectors[ctrl]) / 16);

/////////////////////////
// check to see of the
// vec segment falls
// within the segment
// image

if (vecseg >= FP_SEG(mcbptr) &&
    vecseg <= FP_SEG(mcbptr)+mcbptr->size_paragraphs) {
    vec_altered[ctr2++]= ctrl;
    }
}

/////////////////////////
// adjust cursor column
// to 45 -> start point
// of vector write
//

adjust_column(45);

/////////////////////////
// if no vecs altered
// then writes not
// necessary

ctrl= 0;

if (vec_altered[ctrl]) {

    /////////////////////////
    // otherwise begin
    // hooked vec writes

do {

    /////////////////////////
    // print single hooked
    // vector

    printf("%02X ", vec_altered[ctrl++]);

    /////////////////////////
    // if 10 vectors have
    // been printed then
    // go to a new line

    if (!(ctrl % 10)) {

        /////////////////////////
        // print new bars

        print_bars();
```

```
                    ///////////////////////
                    // move cursor to new
                    // line and update
                    // counter

                    newline();

                    ///////////////////////
                    // print new bars

                    print_bars();

                    ///////////////////////
                    // cursor to vec column
                    //   start

                    adjust_column(45);
                    }

            } while (vec_altered[ctrl]);

        }

    ///////////////////////
    // print white bar
    // separators

    print_bars();
    }

///////////////////////
// carriage return here

///////////////////////
// move cursor to new
// line and update
// counter

newline();

///////////////////////
// bypass print routines

no_print:

    ///////////////////////
    // if the 'Z' is reached
    // then break

    if (mcbptr->chain_status == 'Z') {
        break;
        }

    ///////////////////////
    // otherwise add
    // paragraph size to
    // pointer segment and
```

```
    // add 1 to cover mcb

    else {

        mcbptr= MK_FP(FP_SEG(mcbptr) + mcbptr->size_paragraphs + 1, 0);

        /////////////////////////
        // and calculate the
        //   next_mcbptr

        next_mcbptr= MK_FP(FP_SEG(mcbptr) + mcbptr->size_paragraphs + 1, 0);

        /////////////////////////
        // and calculate the
        // next1_mcbptr

        next1_mcbptr= MK_FP(FP_SEG(next_mcbptr) + next_mcbptr->size_paragraphs + 1, 0);
        }

    }
/////////////////////////
// closing bracket for
// end of loop
// non verbose sequence

  }

//
// not verbose looping sequence ends
// here
////////////////////////////////////

////////////////////////////////////
// if verbose then
// use this looping
// sequence

else

  {

/////////////////////////
// loop and print MCB
// information

  for (;;) {

    /////////////////////////
    // if size is 0 then
    // bypass all

    if (!mcbptr->size_paragraphs && !mcbptr->owner_psp) {

        free_flag= 0;

        goto v_no_print;
        }

    /////////////////////////
```

```
// if the PSP is then the
// memory block is free
// so collect free memory

if (!mcbptr->owner_psp) {

    /////////////////////////
    // add up free memory
    // paragraphs

    free_memory+= mcbptr->size_paragraphs;

    /////////////////////////
    // increment block
    // counter

    free_blocks++;

    /////////////////////////
    // set free flag to 1

    free_flag= 1;

    goto v_no_print;
    }

/////////////////////////
// if the PSP is this
// program's psp then
// add this program's
// used memory to
// free memory

else if (mcbptr->owner_psp == prog_psp) {

    /////////////////////////
    // add up free memory
    // paragraphs

    free_memory+= mcbptr->size_paragraphs;

    program_size+= mcbptr->size_paragraphs;

    /////////////////////////
    // set free flag to 1

    free_flag= 1;

    is_same_prog= 1;
    }

else {
    /////////////////////////
    // add up program memory
    // paragraphs

    program_size+= mcbptr->size_paragraphs;
    }
```

```c
//////////////////////////
// increment block
// counter

blocks++;

//////////////////////////
// clear 80 byte buffer

memset(buff80, 0, 80);

//////////////////////////
// format buffer to print
// primitave information

sprintf(buff80,
        "%04X %6ld %2d ",
        mcbptr->owner_psp,
        (long)(program_size) << 4,
        blocks);

//////////////////////////
//  print the string

printf("%s", buff80);

//////////////////////////
// reset program_size
// to 0

program_size= 0;

//////////////////////////
// reset blocks counter
// to 0

blocks= 0;

//////////////////////////
// if PSP is 8 then
// print config

if (mcbptr->owner_psp == 0x08 && !is_same_prog) {

    printf("CONFIG");

    print_bars();
    }

//////////////////////////
// if 2e points within
// the mem block them
// is COMMAND

else if (seg2e >= FP_SEG(mcbptr) &&
    seg2e <= FP_SEG(mcbptr) + (mcbptr->size_paragraphs) &&
    !is_same_prog) {

    printf("COMMAND");

    print_bars();
```

```
    goto check_vectors;
    }

/////////////////////////
// if DOS is version 4
// or higher then look
// to MCB structure for
// file name

else if (maj_ver >= 4 && !is_same_prog) {

    /////////////////////////
    // if file name length is
    // is greater than 8 then
    // something is weird so
    // print N/A

    if (strlen(mcbptr->file_name) > 8) {
        printf("(N/A)");
        }

    /////////////////////////
    // if the first character
    // of the file name is
    // not alpha-numeric
    // then something is
    // weird so print N/A

    else if (!isalnum(mcbptr->file_name[0])) {
        printf("(N/A)");
        }

    /////////////////////////
    // otherwise print the
    // file name

    else {
        printf("%s", mcbptr->file_name);
        }

    /////////////////////////
    // print the vertical
    // bars between the cols

    print_bars();

    /////////////////////////
    // the file name has been
    // printed

    goto v_prog_name_done;
    }

/////////////////////////
// if far pointer to
// parent MCB is 0 then
// print N/A
```

```
        else if (!MK_FP(mcbptr->owner_psp-1, 0) && !is_same_prog)  {

            printf("(N/A)");

            print_bars();

            goto v_prog_name_done;
            }

    ////////////////////////
    // if free_flag then
    // print that memory
    // block is free

        else if (free_flag && is_same_prog) {

            free_flag= 0;

            is_same_prog= 0;

            printf("FREE");

            print_bars();

            newline();

            goto v_no_print;
            }

    ////////////////////////
    // otherwise it's a file
    // so print the program
    // name

        else {

            ////////////////////////
            // get environment
            // segment pointer

            temp= (WORD *)MK_FP(mcbptr->owner_psp, 0x2c);

            ////////////////////////
            // get program environ-
            // ment segment

            envseg= (int)*temp;

            ////////////////////////
            // set pointer to
            // environment

            env= MK_FP(envseg, 0);

            ////////////////////////
            // search environment
            // for the file name

            for (;;)  {
```

```
/////////////////////
// if env points to
// double Os then break

if (!*(env)&&!*(env+1)) {
    break;
    }

/////////////////////
// else continue search
// for double Os

else {
    env++;
    }
}


/////////////////////
// search for executable
// filename .

while (*(env++)!='.');

/////////////////////
// backspace to back-
// slash which precedes
// executable filename

while (*(env)!= '\\') {
    env--;
    }

/////////////////////
// point to first letter
// of filename

env++;

/////////////////////
// clear file name buffer

memset(env20, 0, 20);


/////////////////////
// copy filename to
// buffer

for (ctrl= 0; ctrl < 12; ctrl++) {

    /////////////////////
    // when . found then
    // copy dot and ext and
    // exit copy loop

    if (*env == '.') {
        env20[ctrl++]= 0;
        ctrl= 12;
```

```
                        }
        ////////////////////////
        // otherwise copy byte
        // to the filename
        // buffer

        else {
            env20[ctrl] = *env++;
            }
        }

        ////////////////////////
        //  print the filename

        if (!isalnum(env20[0])) {
            printf("(N/A)");
            }

        else {
            printf("%s", env20);
            }


////////////////////////
// bypass name print

v_prog_name_done:

        ////////////////////////
        // adjust column for
        // command line print

        adjust_column(23);

        ////////////////////////
        // clear the buffer

        memset(cmd40, 0, 40);

        ////////////////////////
        // set pointer to the
        // offset of 0x80 where
        // the length of the
        // program parameter
        // command line is held

        cmdptr= MK_FP(mcbptr->owner_psp, 0x80);

        ////////////////////////
        // place command line
        // length in the len
        // variable and increment
        // pointer to command
        // line string

        len= (BYTE)*cmdptr++;

        ////////////////////////
        // if the command line
        // length is not 0
```

```
        // then print the command
        // line

        if (len) {

            for (ctrl= 0; ctrl < (int)len; ctrl++) {

                if (ctrl > 20) {
                    break;
                    }

                cmd40[ctrl] = *cmdptr++;
                }

            printf("%s", cmd40);
            }


    /////////////////////////
    // get pointers to
    // vectors into array

    for (ctrl= 0; ctrl < 256; ctrl++) {

        vectors[ctrl]= getVecPointer((BYTE)ctrl);
        }

    /////////////////////////
    // check to see if
    // vector points into
    // program memory

    /////////////////////////
    // clear vec_altered
    // array

    for (ctrl= 0; ctrl < 256; ctrl++) {

        vec_altered[ctrl]= 0;
        }

    /////////////////////////
    // vec_altered[] holds
    // a list of far
    // pointers. Take vec
    // offset and convert to
    // segment paragraph by
    // dividing by 16. Then
    // add the altered vec
    // offset to the vec
    // segment. The hooked
    // vector converted
    // segmen will fall
    // within the program's
    // segment boundaries.
    /////////////////////////

check_vectors:
```

```c
/////////////////////////
// check vec by vec

for (ctr1= 0, ctr2= 0; ctr1 < 256; ctr1++)   {

    /////////////////////////
    // convert vec far ptr
    // to segment value

    vecseg= FP_SEG(vectors[ctr1]) + (FP_OFF(vectors[ctr1]) / 16);

    /////////////////////////
    // check to see of the
    // vec segment falls
    // within the segment
    // image

    if (vecseg >= FP_SEG(mcbptr) &&
       vecseg <= FP_SEG(mcbptr) + mcbptr->size_paragraphs) {

        vec_altered[ctr2++]= ctrl;
        }
    }

/////////////////////////
// adjust cursor column
// to 45 -> start point
// of vector write
//

adjust_column(45);

/////////////////////////
// if no vecs altered
// then writes not
// necessary

ctr1= 0;

if (vec_altered[ctr1]) {

    /////////////////////////
    // otherwise begin
    // hooked vec writes

do {

    /////////////////////////
    // print single hooked
    // vector

    printf("%02X ", vec_altered[ctr1++]);

    /////////////////////////
    // if 10 vectors have
    // been printed then
    // go to a new line

    if (!(ctr1%10)) {
```

```
                    /////////////////////////
                    // print new bars

                    print_bars();

                    /////////////////////////
                    // move cursor to new
                    // line and update
                    // counter

                    newline();

                    /////////////////////////
                    // print new bars

                    print_bars();

                    /////////////////////////
                    // cursor to vec column
                    //  start

                    adjust_column(45);
                    }
            } while (vec_altered[ctrl]);
        }

    /////////////////////////
    // print white bar
    // separators

    print_bars();
    }


/////////////////////////
// carriage return here

/////////////////////////
// move cursor to new
// line and update
// counter

newline();
v_no_print:

    /////////////////////////
    // if the 'Z' is reached
    // then break

    if (mcbptr->chain_status == 'Z') {
        break;
        }

    /////////////////////////
    // otherwise add
    // paragraph size to
    // pointer segment and
    // add 1 to cover mcb
```

```
        else {

            mcbptr= MK_FP(FP_SEG(mcbptr) + mcbptr->size_paragraphs + 1, 0);

            ////////////////////////
            // and calculate the
            //   next_mcbptr

            next_mcbptr= MK_FP(FP_SEG(mcbptr) + mcbptr->size_paragraphs + 1, 0);

            ////////////////////////
            // and calculate the
            // next1_mcbptr

            next1_mcbptr= MK_FP(FP_SEG(next_mcbptr) + next_mcbptr->size_paragraphs + 1, 0);
            }

    }

////////////////////////
// closing bracket for
// end of loop
// verbose sequence

 }

//
// verbose looping sequence ends here
//////////////////////////////////////////

////////////////////////
// print separator line

separate_line();

////////////////////////
// move cursor to new
// line and update
// counter

newline();

////////////////////////
// clear 80 byte buffer

memset(buff80, 0, 80);

////////////////////////
// format buffer to print
// primitive information

sprintf(buff80,
        "%04X %6ld %2d ",
        prog_psp,
        (long)free_memory<<4,
        free_blocks);

////////////////////////
//  print the string
```

```
    printf("%s", buff80);

    /////////////////////////
    // if PSP is 0 then
    // memory is free

    printf("FREE");

    /////////////////////////
    // print vertical bars
    // between display
    // fields

    print_bars();

    /////////////////////////
    // move cursor to new
    // line and update
    // counter

    newline();

    bottom_line();

}

//
// end of main(int argc, char **argv)
// function
//
////////////////////////////////////////

////////////////////////////////////////
// BYTE get_cursor_row(void)
//
// Returns the cursor row
//

BYTE get_cursor_row()
{
    union REGS ir, or;

    /////////////////////////
    // get the current cursor
    // row and column
    // location via the BIOS

    ir.h.ah = 0x03;
    ir.h.bh = 0x00;
    int86(0x10, &ir, &or);

    return(or.h.dh);
}

////////////////////////////////////////
//
// void adjust_column(int location)
//
```

```
                            // Adjust the cursor to the specified
                            // column location on the current
                            // text cursor row
                            //

                            void adjust_column(BYTE location)
                            {
                                union REGS ir, or;

                                ////////////////////////////
                                // get the current cursor
                                // row and column
                                // location via the BIOS

                                ir.h.ah = 0x03;
                                ir.h.bh = 0x00;
                                int86(0x10, &ir, &or);

                                ////////////////////////////
                                // row now in or.h.dh
                                // so set column ir.h.dl
                                // to location parameter
                                // value

                                ir.h.dh = or.h.dh;
                                ir.h.dl = (BYTE)location;
                                ir.h.ah = 0x02;
                                ir.h.bh = 0;

                                int86(0x10, &ir, &or);
                            }

                            ///////////////////////////////////////
                            //
                            // WORD get_prog_psp(void)
                            //
                            // Returns this program's PSP
                            //

                            WORD get_prog_psp()
                            {
                                union REGS ir, or;

                                ir.h.ah = 0x51;
                                int86(0x21, &ir, &or);

                                return(or.x.bx);
                            }

                            ///////////////////////////////////////
                            //
                            // void clear_screen(void)
                            //
                            // Clears the screen via the BIOS
                            //
                            ///////////////////////////////////////

                            void clear_screen(void)
                            {
                                union REGS ir, or;
```

```
    ir.h.ah = 0x06;
    ir.h.al = 0x00;
    ir.h.bh = 0x07;
    ir.h.ch = 0x00;
    ir.h.cl = 0x00;
    ir.h.dh = 0x18;
    ir.h.dl = 0x4f;

    int86(0x10, &ir, &or);

    /////////////////////////
    // move cursor to 0, 0

    ir.h.ah = 0x02;
    ir.h.bh = 0x00;
    ir.h.dh = 0x00;
    ir.h.dl = 0x00;

    int86(0x10, &ir, &or);
}


//////////////////////////////////////
//
// void new_line()
//
// Moves the text cursor to a new
// line. If the cursor is now at
// row 22 then the pause prompt is
// printed.
//
//////////////////////////////////////

void
newline()
{
    /////////////////////////
    // print the new line

    printf("\n");

    /////////////////////////
    // if at row 22 then
    // prompt for key press

    if (get_cursor_row() == 20) {

        printf("\npress any key to continue...\n\n");
        getch();
        clear_screen();

        /////////////////////////
        // print header


        /////////////////////////
        // write blank line to
        // top row
```

```
                    bdwrite(0, 0, 80, buff32, attr1);

                    /////////////////////////
                    // write program title
                    // to top of screen

                    bdwrite(0,          // at row
                            16,         // at col
                            48,         // length  (message below)
                            "   Baby Bax's Memory Display Program  (V 1.0)   ",
                            attr1); // with this attribute

                    /////////////////////////
                    // move cursor to new
                    // line and update
                    // counter

                    newline();

                    /////////////////////////
                    // write blank line
                    // to screen

                    bdwrite(1, 0, 80, buff32, attr);

                    /////////////////////////
                    // write msg line
                    // to screen

                    bdwrite(1,
                            0,
                            41,
                            "PSP   SIZE  BL PROGRAM       COMMAND  LINE",
                            attr);

                    /////////////////////////
                    // write msg line
                    // to screen

                    bdwrite(1,
                            54,
                            15,
                            "HOOKED   VECTORS",
                            attr);


                    /////////////////////////
                    // move cursor to new
                    // line and update
                    // counter

                    newline();

            }
    }

    ///////////////////////////////////////
    //
    // void print_bars(void);
    //
```

```
// print white bar separators between
// memory display columns
//
//////////////////////////////////////

void print_bars()
{
char c179 = 179;

bdwrite(get_cursor_row(),
        4,
        1,
        &c179,
        NORMAL);

bdwrite(get_cursor_row(),
        11,
        1,
        &c179,
        NORMAL);

bdwrite(get_cursor_row(),
        14,
        1,
        &c179,
        NORMAL);

bdwrite(get_cursor_row(),
        23,
        1,
        &c179,
        NORMAL);

bdwrite(get_cursor_row(),
        44,
        1,
        &c179,
        NORMAL);
}


//////////////////////////////////////
//
// void separate_line()
//
// print white bar separator above
// free memory display
//
//////////////////////////////////////

void separate_line()
{
char c197 = 197;

bdwrite(get_cursor_row(), 0, 80, buff196, 7);

bdwrite(get_cursor_row(),
        4,
        1,
```

```
                              &c197,
                              NORMAL);

          bdwrite(get_cursor_row(),
                  11,
                  1,
                  &c197,
                  NORMAL);

          bdwrite(get_cursor_row(),
                  14,
                  1,
                  &c197,
                  NORMAL);

          bdwrite(get_cursor_row(),
                  23,
                  1,
                  &c197,
                  NORMAL);

          bdwrite(get_cursor_row(),
                  44,
                  1,
                  &c197,
                  NORMAL);

}


////////////////////////////////////////
//
// void bottom_line()
//
// print white bar separator below
// free memory display
//
////////////////////////////////////////

void bottom_line()
{
char c193 = 193;

bdwrite(get_cursor_row(), 0, 80, buff196, 7);

bdwrite(get_cursor_row(),
        4,
        1,
        &c193,
        NORMAL);

bdwrite(get_cursor_row(),
        11,
        1,
        &c193,
        NORMAL);

bdwrite(get_cursor_row(),
        14,
        1,
```

```
        &c193,
        NORMAL);

bdwrite(get_cursor_row(),
        23,
        1,
        &c193,
        NORMAL);

bdwrite(get_cursor_row(),
        44,
        1,
        &c193,
        NORMAL);

}

/////////////////////////////////////
//
// void getDosVersion(void)
//
// Gets dos version where:
//    maj_ver = major version &
//    min_ver - minor dos version
// via DOS int 21 function 30h
//
/////////////////////////////////////

void getDosVersion()
{
union REGS ir, or;

ir.h.al = 0x01;
ir.h.ah = 0x30;

int86(0x21, &ir, &or);

maj_ver = or.h.al;
min_ver = or.h.ah;

}

//
// end of prog2-3.c
/////////////////////////////////////
```

Many instructive programming techniques are used in this highly documented source file. The comments have been specifically written to aid in your understanding.

## Summary

The organization of low memory by DOS is held together by a series of 16-byte Memory Control Blocks (MCBs). These MCBs are chained together to map your computer's low memory. Each MCB precedes a block of contiguous memory in your computer.

By looking at these MCBs, we can find out the owner program's PSP, whether the memory block is the last in the chain, the size of the memory block referred to by the MCB, the location of the next MCB in the chain, the owner program's command line, and the owner program's name.

Understanding how MCBs operate will lay a firm foundation for understanding low memory management.

Figure 2-12 is the source code listing to PROG2-4.C. This program uses the standard library "system" function to invoke PROG2-3.EXE. Running the parent PROG2-4.EXE program will actually give you a feel for how the system(...) function invokes COMMAND.COM when running the child PROG2-3.EXE program.

**2-12** The source code listing to PROG2-4.C.

```
/////////////////////////
//
// prog2-4.c
//
// test prog2-3 from
// system call showing
// how command.com
// is invoked
//
/////////////////////////

/////////////////////////
// include files here

#include <stdlib.h>
#include <stdio.h>
#include <conio.h>
#include <dos.h>
#include "gdefs.h"
#include "mcbdefs.h"

/////////////////////////
// make sure to
// pass a parameter
// to test program


void main(int argc,char **argv)
{
/////////////////////////
// print parameter 1
// to the screen

printf("%s",argv[1]);

/////////////////////////
// wait for key press
```

```
getch();

//////////////////////
// invoke the memory
// display program
// from within this
// program

system("prog2-3 /v");
}

//
// end of prog2-4.c
//////////////////////
```

Finally, FIG. 2-13 presents the library listing to MCBL.LIB.

```
Publics by module

BDWRITE          size = 32
        _bdwrite

GDEVP            size = 12
        _getDevPointer

GMCBP            size = 11
        _getMcbPointer

GVECP            size = 16
        _getVecPointer
```

**2-13** The library listing for MCBL.LIB.

# 3
# *EMS 3.0 & 3.2*

This chapter's contents fall into two basic sections. The first portion of the chapter presents five EMS demonstration programs that show how several of the EMS 3.0 & 3.2 functions can be called from C. The second section concentrates on presenting an EMS 3.0 & 3.2 programming interface. The EMS code is primarily implemented in assembly language using the large memory model, and the related function prototypes are presented in the text.

## EMS 3.0 demonstration programs

Five demonstration programs are presented in this section of Chapter 3. The first program, PROG3-1.C, demonstrates the following EMS-related operations:

- Testing for the presence of EMS.
- Getting the EMS status.
- Getting the EMS page frame address.
- Getting the EMS version number.

Figure 3-1 presents the source code listing to PROG3-1.C.

**3-1**   The source code listing to PROG3-1.C.

```
/////////////////////////////////////
//
// prog3-1.c
//
//        Demonstrates
//            - Testing for presence of EMS
//            - Getting EMS status
```

**3-1** Continued.

```
//                  - Getting Page Frame Address
//                  - Getting EMS Version #
//
////////////////////////////////////////////

//////////////////////////
// include standard
// I/O functions

#include <stdio.h>
#include <dos.h>

//////////////////////////
//
// include ems memory
// management header
// files

#include "gdefs.h"
#include "ems.h"

//////////////////////////
// begin program

void main()
{
    int      ems_status;
    WORD     version;

    EMS_PageFrame
             pfa;

    //
    //  First check to see whether EMS is there:
    //
    if (ems_present()) {
        printf("EMM is present\n");
        }
    else {
        printf("EMM is not present\n");
        return;
        }

    //
    //  Now get the EMS status. This should be 0, indicating
    //  no problem.
    //
    ems_status= ems_getStatus();
    printf("EMS status is %02X\n", ems_status);

    //
    //  Now get the EMS version number and print it:
    //
    if (ems_getVersion(&version)) {
```

```
                ems_demoError("ems_getVersion");
                }
        printf("EMS version is %2d.%02d\n", (version>>4)&0xF,
                                            (version)&0xF);

        //
        //  Now get the Page Frame Address:
        //
        if (ems_getPFA(&pfa)) {
            ems_demoError("ems_getPFA");
            }
        printf("Page Frame address is %04X:%04X\n", FP_SEG(pfa), FP_OFF(pfa));

}
```

The second program, PROG3-2.C, demonstrates the following EMS-related operations:

- Allocating and freeing EMS pages.
- Getting the number of available EMS pages.
- Getting the number of pages allocated for each handle.
- Getting the number of active page handles.

Figure 3-2 presents the source code listing to PROG3-2.C.

**3-2**  The source code listing to PROG3-2.C.

```
//////////////////////////////////////
//
// prog3-2.c
//
//      Demonstrates
//          - Alloc/Free of EMS pages
//          - Get # available EMS pages
//          - Get # pages for each handle
//          - Get # active handles
//
//////////////////////////////////////

/////////////////////////
// include standard
// I/O functions

#include <stdio.h>
#include <stdlib.h>
#include <dos.h>

////////////////////////
//
// include ems memory
// management header
// files
```

**3-2** Continued.

```c
#include "gdefs.h"
#include "ems.h"

//////////////////////////
// begin program

extern void displayActiveHandles(void);
extern void pause(void);

void main()
{
    WORD    totalPages;
    WORD    freePages;
    WORD    handle1;
    WORD    handle2;

    //
    //  First check for presence of EMS
    //
    if (!ems_present()) {
        printf("EMS is not present\n");
        return;
        }

    //
    //  Get the number of free pages
    //
    if (ems_getFreeEM(&totalPages, &freePages)) {
        ems_demoError("ems_getFreeEM");
        }

    //
    //  Print header:
    //
    printf("      Operation        Avail Pages    Active Handles\n");
    printf("============================================================\n");
    printf("After initialization   |   %3d   |  Handle   Pages  |\n",
                freePages);

    displayActiveHandles();
    pause();

    //
    //  Now allocate 5 pages.
    //
    if (ems_allocEM(5, &handle1)) {
        ems_demoError("ems_allocEM");
        }

    //
    //  Get the number of free pages
    //
    if (ems_getFreeEM(&totalPages, &freePages)) {
        ems_demoError("ems_getFreeEM");
        }

    //
```

```
//   Print header:
//
printf("        Operation           Avail Pages    Active Handles\n");
printf("=================================================================\n");
printf("After 5 page allocate  |     %3d    |   Handle   Pages  |\n",
            freePages);

displayActiveHandles();
pause();


//
//   Now allocate 7 pages.
//
if (ems_allocEM(7, &handle2)) {
    ems_demoError("ems_allocEM");
    }


//
//   Get the number of free pages
//
if (ems_getFreeEM(&totalPages, &freePages)) {
    ems_demoError("ems_getFreeEM");
    }


//
//   Print header:
//
printf("        Operation           Avail Pages    Active Handles\n");
printf("=================================================================\n");
printf("After 7 page allocate  |     %3d    |   Handle   Pages  |\n",
            freePages);

displayActiveHandles();
pause();

//
//   Now free the 5 page block.
//
if (ems_freeEM(handle1)) {
    ems_demoError("ems_freeEM");
    }


//
//   Get the number of free pages
//
if (ems_getFreeEM(&totalPages, &freePages)) {
    ems_demoError("ems_getFreeEM");
    }


//
//   Print header:
//
printf("        Operation           Avail Pages    Active Handles\n");
printf("=================================================================\n");
printf("After 5 page free      |     %3d    |   Handle   Pages  |\n",
            freePages);

displayActiveHandles();
pause();
```

```
        //
        //   Now free the 7 page block.
        //
        if (ems_freeEM(handle2)) {
            ems_demoError("ems_freeEM");
            }


        //
        //   Get the number of free pages
        //
        if (ems_getFreeEM(&totalPages, &freePages)) {
            ems_demoError("ems_getFreeEM");
            }


        //
        //   Print header:
        //
        printf("        Operation          Avail Pages    Active Handles\n");
        printf("=============================================================\n");
        printf("After 7 page free      |    %3d    |   Handle    Pages   \n",
                    freePages);

        displayActiveHandles();

}

void displayActiveHandles()
{

    EMS_HandleInfo      *handleInfoArray;
    WORD                 numActiveHandles;
    WORD                 numActiveHandles2;

    WORD                 i;

    //
    //   First find out how many active handles there are:
    //
    if (ems_getNumActiveHandles(&numActiveHandles)) {
        ems_demoError("ems_getNumActiveHandles");
        }


    //
    //   Now allocate a block of handleInfo packets big enough to
    //   hold them.
    //
    handleInfoArray= (EMS_HandleInfo *)
                    malloc(numActiveHandles * sizeof(EMS_HandleInfo));


    //
    //   Now get the info.
    //
    if (ems_getPagesAllHandles(handleInfoArray, &numActiveHandles2)) {
        ems_demoError("ems_getNumActiveHandles");
        }


    //
    //   The following is a brief sanity clause (Everybody knows
    //   there ain't no sanity clause).
```

```
//
if (numActiveHandles2 != numActiveHandles) {
    printf("A most unusual situation has occured...\n");
    exit(0);
    }

//
// Finally, display it.
//
printf("                                |-------------|----------|---------|\n");

for (i= 0; i < numActiveHandles; i++) {
    printf(
        "                                |   %3d   |   %3d   |\n",
        handleInfoArray[i].handle,
        handleInfoArray[i].numPages);

    if (i+1 < numActiveHandles) {
        printf(
            "                                |----------|---------|\n");
        }
    }

printf("=================================================================\n");

//
// Now free up the array.
//
free(handleInfoArray);

}

void pause()

{

//
// Display a little message:
//
printf("Hit <CR> to continue...");
fflush(stdout);

//
// Wait for a <CR>
//
while (getchar() != '\n') {
    }

}
```

The third program, PROG3-3.C, demonstrates the following EMS-related operations:

- Mapping of EMS pages.
- Transferring memory to and from EMS.

Figure 3-3 presents the source code listing to PROG3-3.C.

**3-3**  The source code listing to PROG3-3.C.

```
///////////////////////////////////////
//
// prog3-3.c
//
//       Demonstrates
//            - Mapping EMS pages
//            - Transfer of memory from/to EMS
//
///////////////////////////////////////


/////////////////////////
// include standard
// I/O functions

#include <stdio.h>
#include <stdlib.h>
#include <dos.h>
#include <string.h>

/////////////////////////
//
// include ems memory
// management header
// files

#include "gdefs.h"
#include "ems.h"

/////////////////////////
// begin program

void main()
{

    EMS_PageFrame    page_frame;
    WORD             handle1;
    WORD             handle2;

    char             *text;

    WORD             i;

    //
    // First check for presence of EMS
    //
    if (!ems_present()) {
        printf("EMS is not present\n");
        return;
        }


    //
    // Get the Page Frame Address.
    //
    if (ems_getPFA(&page_frame)) {
        ems_demoError("ems_getPFA");
        }

    //
```

```
//   Get a couple of 4 page blocks of memory (64K each).
//
if (ems_allocEM(4, &handle1)) {
    ems_demoError("ems_allocEM");
    }
if (ems_allocEM(4, &handle2)) {
    ems_demoError("ems_allocEM");
    }


//
//   Now let's map the first.
//
for (i= 0; i < 4; i++) {
    if (ems_mapPage(i, i, handle1)) {
        ems_demoError("ems_mapPage");
        }
    }


//
//   The memory is now mapped into the page frame. Let's
//   move some text into random spots in it.
//
text= "     I took a speed reading course and I";
strcpy(&page_frame[0][400], text);

text= "     read \"War and Peace\".";
strcpy(&page_frame[1][801], text);

text= "     It involves Russia.";
strcpy(&page_frame[2][4000], text);

text= "                 -- Woody Allen\n";
strcpy(&page_frame[3][2000], text);


//
//   Now print it back.
//
printf("%s\n", &page_frame[0][400]);
printf("%s\n", &page_frame[1][801]);
printf("%s\n", &page_frame[2][4000]);
printf("%s\n", &page_frame[3][2000]);


//
//   Now let's map the second block
//
for (i= 0; i < 4; i++) {
    if (ems_mapPage(i, i, handle2)) {
        ems_demoError("ems_mapPage");
        }
    }


//
//   The memory is now mapped into the page frame. Let's
//   move some text into random spots in it.
//
text= "     Children make the most desireable opponents";
strcpy(&page_frame[0][400], text);

text= "     in Scrabble as they are both easy to beat";
strcpy(&page_frame[1][801], text);
```

```
text= "      and fun to cheat.";
strcpy(&page_frame[2][4000], text);

text= "                  -- Fran Lebowitz\n";
strcpy(&page_frame[3][2000], text);

//
//  Now print it back.
//
printf("%s\n", &page_frame[0][400]);
printf("%s\n", &page_frame[1][801]);
printf("%s\n", &page_frame[2][4000]);
printf("%s\n", &page_frame[3][2000]);

//
//  Now let's map the first, backwards this time.
//
for (i= 0; i < 4; i++) {
    if (ems_mapPage(i, 3-i, handle1)) {
        ems_demoError("ems_mapPage");
        }
    }

//
//  Now print it back.
//
printf("%s\n", &page_frame[3][400]);
printf("%s\n", &page_frame[2][801]);
printf("%s\n", &page_frame[1][4000]);
printf("%s\n", &page_frame[0][2000]);

//
//  Now let's map the second block backwards.
//
for (i= 0; i < 4; i++) {
    if (ems_mapPage(i, 3-i, handle2)) {
        ems_demoError("ems_mapPage");
        }
    }

//
//  Now print it back.
//
printf("%s\n", &page_frame[3][400]);
printf("%s\n", &page_frame[2][801]);
printf("%s\n", &page_frame[1][4000]);
printf("%s\n", &page_frame[0][2000]);

//
//  We're done. Free the memory we've allocated.
//
if (ems_freeEM(handle1)) {
    ems_demoError("ems_freeEM");
    }
if (ems_freeEM(handle2)) {
    ems_demoError("ems_freeEM");
    }
}
```

The fourth program, PROG3-4.C demonstrates the following EMS-related operation:

- Saving and restoring of the EMS page map.

Figure 3-4 presents the source code listing to PROG3-4.C.

**3-4**  The source code listing to PROG3-4.C.

```
/////////////////////////////////////
//
// prog3-4.c
//
//      Demonstrates
//            - Save/Restore of the page map
//
/////////////////////////////////////

////////////////////////
// include standard
// I/O functions

#include <stdio.h>
#include <stdlib.h>
#include <dos.h>
#include <string.h>

////////////////////////
//
// include ems memory
// management header
// files

#include "gdefs.h"
#include "ems.h"

////////////////////////
// begin program

void main()
{
    EMS_PageFrame    page_frame;
    WORD             handle1;
    WORD             handle2;

    char             *text;

    WORD             i;

    //
    //  First check for presence of EMS
    //
    if (!ems_present()) {
        printf("EMS is not present\n");
        return;
        }

    //
    //  Get the Page Frame Address.
```

**3-4** Continued.

```
//
if (ems_getPFA(&page_frame)) {
    ems_demoError("ems_getPFA");
    }


//
//  Get a couple of 4 page blocks of memory (64K each).
//
if (ems_allocEM(4, &handle1)) {
    ems_demoError("ems_allocEM");
    }
if (ems_allocEM(4, &handle2)) {
    ems_demoError("ems_allocEM");
    }


//
//  Now let's map the first.
//
for (i= 0; i < 4; i++) {
    if (ems_mapPage(i, i, handle1)) {
        ems_demoError("ems_mapPage");
        }
    }


//
//  The memory is now mapped into the page frame. Let's
//  move some text into random spots in it.
//
text= "      Be careful not to impart your wisdom to a guest";
strcpy(&page_frame[0][400], text);

text= "      whose background you do not know. You may be instructing";
strcpy(&page_frame[1][801], text);

text= "      a Nobel Laureate in his own field";
strcpy(&page_frame[2][4000], text);

text= "                        -- David Brown\n";
strcpy(&page_frame[3][2000], text);


//
//  Now print it back.
//
printf("%s\n", &page_frame[0][400]);
printf("%s\n", &page_frame[1][801]);
printf("%s\n", &page_frame[2][4000]);
printf("%s\n", &page_frame[3][2000]);


//
//  Save the map state. This will save the current map
//  of the PFA and associate the saved state with handle1.
//  We could as easily save it with handle2 as long as
//  we restore it from the same place we saved it.
//
if (ems_savePageMap(handle1)) {
    ems_demoError("ems_savePageMap");
    }
```

```
//
// Now let's map the second block
//
for (i= 0; i < 4; i++) {
    if (ems_mapPage(i, i, handle2)) {
        ems_demoError("ems_mapPage");
        }
    }


//
// The memory is now mapped into the page frame. Let's
// move some text into random spots in it.
//
text= "    I'm astounded by people who want to \"know\"";
strcpy(&page_frame[0][400], text);

text= "    the universe when it's hard enough to find your";
strcpy(&page_frame[1][801], text);

text= "    way around Chinatown.";
strcpy(&page_frame[2][4000], text);

text= "                         -- Woody Allen\n";
strcpy(&page_frame[3][2000], text);


//
// Now print it back.
//
printf("%s\n", &page_frame[0][400]);
printf("%s\n", &page_frame[1][801]);
printf("%s\n", &page_frame[2][4000]);
printf("%s\n", &page_frame[3][2000]);


//
// Now let's restore the old map.
//
if (ems_restorePageMap(handle1)) {
    ems_demoError("ems_restorePageMap");
    }


//
// Now when we print out, we should get the first set
// of lines.
//
printf("%s\n", &page_frame[0][400]);
printf("%s\n", &page_frame[1][801]);
printf("%s\n", &page_frame[2][4000]);
printf("%s\n", &page_frame[3][2000]);


//
// We're done. Free the memory we've allocated.
//
if (ems_freeEM(handle1)) {
    ems_demoError("ems_freeEM");
    }
if (ems_freeEM(handle2)) {
    ems_demoError("ems_freeEM");
    }
}
```

The fifth program, PROG3-5.C, demonstrates the following EMS-related operation:

- Saving and restoring the EMS page map using EMS 3.2 calls.

Figure 3-5 presents the source code listing to PROG3-5.C.

**3-5** The source code listing to PROG3-5.C.

```
/////////////////////////////////////
//
// prog3-5.c
//
//      Demonstrates
//          - Save/Restore of the page map using 3.2 calls
//
/////////////////////////////////////

/////////////////////////
// include standard
// I/O functions

#include <stdio.h>
#include <stdlib.h>
#include <dos.h>
#include <string.h>

/////////////////////////
//
// include ems memory
// management header
// files

#include "gdefs.h"
#include "ems.h"

/////////////////////////
// begin program

void main()
{
        EMS_PageFrame     page_frame;
        WORD              handle1;
        WORD              handle2;

        DWORD             *mapBuffer1;
        DWORD             *mapBuffer2;
        WORD              mapInfoSize;

        char              *text;

        WORD              i;

        //
        // First check for presence of EMS
        //
        if (!ems_present()) {
            printf("EMS is not present\n");
```

```
                  return;
                  }

      //
      //  Get the Page Frame Address.
      //
      if (ems_getPFA(&page_frame)) {
          ems_demoError("ems_getPFA");
          }

      //
      //  Get a couple of 4 page blocks of memory (64K each).
      //
      if (ems_allocEM(4, &handle1)) {
          ems_demoError("ems_allocEM");
          }
      if (ems_allocEM(4, &handle2)) {
          ems_demoError("ems_allocEM");
          }

      //
      //  Now let's map the first.
      //
      for (i= 0; i < 4; i++) {
          if (ems_mapPage(i, i, handle1)) {
              ems_demoError("ems_mapPage");
              }
          }

      //
      //  The memory is now mapped into the page frame. Let's
      //  move some text into random spots in it.
      //
      text= "     Neurotic means he is not as sensible as I am,";
      strcpy(&page_frame[0][400], text);

      text= "     and psychotic means that he is even worse than";
      strcpy(&page_frame[1][801], text);

      text= "     my brother-in-law.";
      strcpy(&page_frame[2][4000], text);

      text= "                         -- Karl Menninger\n";
      strcpy(&page_frame[3][2000], text);

      //
      //  Now print it back.
      //
      printf("%s\n", &page_frame[0][400]);
      printf("%s\n", &page_frame[1][801]);
      printf("%s\n", &page_frame[2][4000]);
      printf("%s\n", &page_frame[3][2000]);

      //
      //  Save the map state. First we query as to how much
      //  memory is required, allocate the memory, then do
      //  the actual save.
      //
      if (ems_getMapInfoSize32(&mapInfoSize)) {
          ems_demoError("ems_mapInfoSize");
```

```
        }
mapBuffer1= malloc(mapInfoSize);
mapBuffer2= malloc(mapInfoSize);

if (ems_savePageMap32(mapBuffer1)) {
    ems_demoError("ems_savePageMap32");
    }

//
//   Now let's map the second block
//
for (i= 0; i < 4; i++) {
    if (ems_mapPage(i, i, handle2)) {
        ems_demoError("ems_mapPage");
        }
    }

//
//   The memory is now mapped into the page frame. Let's
//   move some text into random spots in it.
//
text= "      When I can no longer bear to think of the victims";
strcpy(&page_frame[0][400], text);

text= "      of broken homes, I begin to think of the victims";
strcpy(&page_frame[1][801], text);

text= "      of intact ones.";
strcpy(&page_frame[2][4000], text);

text= "                        -- Peter De Vries\n";
strcpy(&page_frame[3][2000], text);

//
//   Now print it back.
//
printf("%s\n", &page_frame[0][400]);
printf("%s\n", &page_frame[1][801]);
printf("%s\n", &page_frame[2][4000]);
printf("%s\n", &page_frame[3][2000]);

//
//   Now let's swap maps, saving the current map into mapBuffer2,
//   and loading the new map from mapBuffer1.
//
if (ems_swapPageMap32(mapBuffer1, mapBuffer2)) {
    ems_demoError("ems_swapPageMap32");
    }

//
//   Now when we print out, we should get the first set
//   of lines.
//
printf("%s\n", &page_frame[0][400]);
printf("%s\n", &page_frame[1][801]);
printf("%s\n", &page_frame[2][4000]);
printf("%s\n", &page_frame[3][2000]);
```

```
//
//  Now let's finish by restoring the second page map.
//
if (ems_restPageMap32(mapBuffer2)) {
    ems_demoError("ems_restPageMap32");
    }

//
//  And print the contents:
//
printf("%s\n", &page_frame[0][400]);
printf("%s\n", &page_frame[1][801]);
printf("%s\n", &page_frame[2][4000]);
printf("%s\n", &page_frame[3][2000]);

//
//  We're done. Free the memory we've allocated.
//
if (ems_freeEM(handle1)) {
    ems_demoError("ems_freeEM");
    }
if (ems_freeEM(handle2)) {
    ems_demoError("ems_freeEM");
    }
}
```

# About the EMS 3.0 & 3.2 assembly generated functions

All the EMS-related assembly files presented in Chapters 3 and 4 have been assembled and have had their resultant object modules added to the EMSL.LIB file.

Note that the assembly source file naming convention follows a consistent format. All EMS source names begin with either the "emm" or "ems" prefix. This prefix is followed by two or three hexadecimal numbers. The first two numbers refer to the EMS Interrupt 67h function number. If there is a third number, it refers to the subfunction number. For example, the source file EMS5D2.ASM contains the source code to invoke interrupt 67h function 5Dh subfunction 2h. Simple as that.

Note that the prefix function naming convention for the EMS 4.0 interface is similar. For example, source file EMS5D2.ASM contains the code to function ems_releaseAccessKey40(...). The numerical suffix refers to the EMS version number. In this case, function 5Dh subfunction 2h is supported by EMS 4.0.

Finally, we have decided to always return the EMS function's error status via the standard function return method (AX register). If the EMS function returns a 0, no error exists. If the function returns a non-zero, an error has occurred.

### EMS function return status

== 0    Status OK, no error
!= 0     Status NOT OK, error occurred

EMS functions that are required to return variable values to the calling function do that via pointers (*) or pointers to pointers (**) contained in the function's parameter list.

Before we present the EMS 3.0 & 3.2 programmer's interface code, you should see two preparatory files. The first is a C language prototype header file for the EMS function calls, and the second file is a defines file for the assembly bindings.

Figure 3-6 presents the source code listing to EMS.H, which is a header file containing structure definitions and function prototypes. This file is included in all the EMS demonstration programs presented in the second section of this chapter.

**3-6**   The source code listing to EMS.H.

```
/////////////////////////////////////
//
// ems.h
//
// Ems and Emm related definitions,
// structures and function prototypes
//
/////////////////////////////////////

#define EMS_STD_PAGE_SIZE    16384
#define EMS_PAGE_FRAME_SIZE 4

//
// Define a couple of constants for the move and exchange operations.
//
#define EMS_MOVE_CONV        0
#define EMS_MOVE_EMS         1

//
// Define the EMS error codes.
//
#define EMSErrOK            0x00    // No error
#define EMSErrInternal      0x80    // Internal EMM error
#define EMSErrHardware      0x81    // EM Hardware error
#define EMSErrEMMBusy       0x82    // EMM Busy
#define EMSErrHandInv       0x83    // Handle Invalid
#define EMSErrUnimp         0x84    // Undefined EMS function
#define EMSErrNoHandles     0x85    // Handles Exhausted
#define EMSErrSaveRest      0x86    // Error in save/restore of context
#define EMSErrReqGTPhys     0x87    // Not enough physical EM for request
#define EMSErrReqGTAvail    0x88    // Not enough available EM for request
#define EMSErrReqIsZero     0x89    // Cannot allocate zero pages
#define EMSErrLogPgInv      0x8A    // Invalid logical page number
#define EMSErrPhysPgInv     0x8B    // Invalid physical page number
#define EMSErrSSAreaFull    0x8C    // Mapping save area is full
#define EMSErrSaveFail      0x8D    // Mapping save failed
#define EMSErrRestFail      0x8E    // Mapping restore failed
#define EMSErrParameter     0x8F    // Subfunction parameter not defined
#define EMSErrAttribute     0x90    // Attribute type not defined
#define EMSErrUnsupported   0x91    // Feature not supported
#define EMSErrOverlap       0x92    // Source/dest of move overlap, move done
#define EMSErrLenInv        0x93    // Length of move request invalid
#define EMSErrOverlapCE     0x94    // Overlap of conventional and extended
```

```
#define EMSErrOffsetInv      0x95      // Offset outside logical page
#define EMSErrRegionGT1MB     0x96      // Region size > 1 megabyte
#define EMSErrOverlapFatal    0x97      // Source/dest overlap prevented move
#define EMSErrMemTypeInv      0x98      // Memory source/dest types invalid
#define EMSErrDMARegUnsupp    0x9A      // Specified register set unsupported
#define EMSErrNoDMARegs       0x9B      // No available alternate register sets
#define EMSErrAltRegsUnsupp   0x9C      // Alternate registers unsupported
#define EMSErrDMARegUndef     0x9D      // Specified register set undefined
#define EMSErrDMAChanUnsupp   0x9E      // Dedicated DMA channels unsupported
#define EMSErrChanUnsupp      0x9F      // Specified DMA channel unsupported
#define EMSErrNameNotFound    0xA0      // No handle found for name
#define EMSErrNameExists      0xA1      // Handle with same name already exists
#define EMSErrPointerInv      0xA3      // Invalid pointer or source array bogus
#define EMSErrAccess          0xA4      // Access denied by operating system

/////////////////////////
//
// structures
//

typedef struct {
    WORD    logicalPage;     // Logical page
    WORD    physicalPage;    // Physical page number
    }    EMS_MapByNumber;

typedef struct {
    WORD    logicalPage;     // Logical page
    WORD    physicalSeg;     // Physical segment number
    }    EMS_MapByAddress;

typedef struct {
    WORD    handle;          // ems handle
    WORD    numPages;        // ems pages associated with handle
    }    EMS_HandleInfo;

typedef struct {
    WORD    pageSegment;     // Segment base address
    WORD    physNumber;      // Physical page number
    }    EMS_MappablePagesInfo;

typedef struct {
    WORD    handle;          // ems handle
    char    name[8];         // ems name (version 4.0)
    }    EMS_HandleNameInfo;

typedef struct {
    DWORD   length;          // memory length
    BYTE    srcType;         // 0=conventional,1=expanded
    WORD    srcHandle;       // source handle
    WORD    srcOffset;       // source offset
    WORD    srcPage;         // source segment or logical page
    BYTE    destType;        // 0=conventional,1=expanded
    WORD    destHandle;      // destination handle
    WORD    destOffset;      // destination offset
    WORD    destPage;        // destination segment or logical page
    }    EMS_MoveMemoryInfo;

typedef struct {
    WORD    rawPgSize;       // size of raw pages in paragraphs
    WORD    altRegSets;      // number of alternate reg sets
```

```
        WORD    saveAreaSz;        // size of mapping save area in bytes
        WORD    regsDma;           // num of regs can be assigned to dma
        WORD    dmaType;           // 0=alt dma regs OK,1=one dma reg only
        }    EMS_HardwareConfigInfo;


/////////////////////////
//
// definitions
//

typedef char (*EMS_PageFrame)[EMS_STD_PAGE_SIZE];

/////////////////////////
//
//  function prototypes
//

extern void      ems_demoError(char *);
extern char     *ems_errorText(WORD err);

extern int far ems_present(void);

/////////////////////////////////////////
//
// EMS 3.0
//
// Interrupt 67h
//


    extern int far ems_getStatus(void);
    extern int far ems_getPFA(EMS_PageFrame *page_frame);
    extern int far ems_getFreeEM(WORD *total, WORD *free);
    extern int far ems_allocEM(WORD pages, WORD *handle);
    extern int far ems_mapPage(WORD physical_page,
                               WORD logical_page,
                               WORD handle);
    extern int far ems_freeEM(WORD handle);
    extern int far ems_getVersion(WORD *version);
    extern int far ems_savePageMap(WORD handle);
    extern int far ems_restorePageMap(WORD handle);
    extern int far ems_getNumActiveHandles(WORD *num_handles);
    extern int far ems_getPagesForHandle(WORD handle, WORD *num_pages);
    extern int far ems_getPagesAllHandles(EMS_HandleInfo info[],
                                WORD *num_handles);


/////////////////////////////////////////
//
// EMS 3.2
//

    extern int far ems_savePageMap32(DWORD *save_buffer);
    extern int far ems_restPageMap32(DWORD *restore_buffer);
    extern int far ems_swapPageMap32(DWORD *rest_buffer, DWORD *save_buffer);
    extern int far ems_getMapInfoSize32(WORD *size);


/////////////////////////////////////////
//
```

```
// EMS 4.0
//
extern int far ems_savePartialMap40(WORD *map, void *buffer);
extern int far ems_restPartialMap40(void *buffer);
extern int far ems_getPMapInfoSize40(WORD pages, WORD *buffSize);

extern int far ems_mapPagesByNum40(WORD handle, WORD pages,
                        EMS_MapByNumber *buffer);
extern int far ems_mapPagesByAddr40(WORD handle, WORD pages,
                        EMS_MapByAddress *buffer);
extern int far ems_reallocHandPages40(WORD handle, WORD pages);

extern int far ems_getHandleAttr40(WORD handle, WORD *attribute);
extern int far ems_setHandleAttr40(WORD handle, WORD attribute);
extern int far ems_getAttrCapability40(WORD *capability);

extern int far ems_getHandleName40(WORD handle, char *handle_name);
extern int far ems_setHandleName40(WORD handle, char *handle_name);
extern int far ems_getAllHandleNames40(EMS_HandleNameInfo *info_list);
extern int far ems_searchHandleName40(WORD *handle, char *name);
extern int far ems_getTotalHandles40(WORD *handles);

extern int far ems_mapPagesJumpNum40(WORD handle, DWORD *buffer);
extern int far ems_mapPagesJumpSeg40(WORD handle, DWORD *buffer);
extern int far ems_mapPagesCallNum40(WORD handle, WORD *buffer);
extern int far ems_mapPagesCallSeg40(WORD handle, WORD *buffer);
extern int far ems_getStackNeeded40(WORD *stack_space);

extern int far ems_moveMemRegion40(EMS_MoveMemoryInfo *buffer);
extern int far ems_swapMemRegions40(EMS_MoveMemoryInfo *buffer);

extern int far ems_getAddrsMappable40(EMS_MappablePagesInfo *buffer,
                            WORD *num_entries);
extern int far ems_getNumMappable40(WORD *mappablePages);

extern int far ems_getHWConfig40(EMS_HardwareConfigInfo *buffer);

extern int far ems_getNumRawPages40(WORD *total_pages, WORD *free_pages);

extern int far ems_allocHandleStd40(WORD *handle, WORD pages);
extern int far ems_allocHandleRaw40(WORD *handle, WORD pages);

extern int far ems_getAltMapRegs40(BYTE *active_map, BYTE *regs_area);
extern int far ems_setAltMapRegs40(BYTE alt_set, BYTE *regs_area);
extern int far ems_getAltMapRegSize40(WORD *buf_size);
extern int far ems_allocAltMapRegs40(BYTE *alt_map);
extern int far ems_releaseAltMapRegs40(BYTE alt_map);

extern int far ems_allocDMARegs40(BYTE *set);
extern int far ems_enableDMA40(BYTE set, BYTE channel);
extern int far ems_disableDMA40(BYTE set);
extern int far ems_releaseDMARegs40(BYTE set);

extern int far ems_prepEmmWarmBoot40(void);
extern int far ems_enableEmmOSFuncs40(WORD a1, WORD a2, WORD *a3, WORD *a4);
extern int far ems_disableEmmOSFuncs40(WORD a1, WORD a2, WORD *a3, WORD *a4);
extern int far ems_releaseAccessKey40(WORD a1, WORD a2);

//
////////////////////////////////////////
```

Figure 3-7 presents the source code listing to EMSDEFS.ASM. This definition file will be included in all the EMS-based assembly bindings.

**3-7** The source code listing to EMSDEFS.ASM.

```
;*************************************************
;***                                          ***
;***      EmsDefs.ASM                         ***
;***                                          ***
;***      Contains definitions for EMS routines ***
;***                                          ***
;*************************************************


;
;    Define the EMS interrupt:
;
Ems           equ      67h


;
;    Now define the 3.0 EMS function codes.
;    These are 8 bit values which are loaded into
;    AH before calling the EMS interrupt.
;
GetStatus          equ      40h
GetPFA             equ      41h
GetPSEG            equ      41h
GetFreeEM          equ      42h
AllocateEM         equ      43h
MapEMPage          equ      44h
FreeEM             equ      45h
GetVersion         equ      46h
SavePageMap        equ      47h
RestorePageMap     equ      48h
Reserved1          equ      49h
Reserved2          equ      4ah
GetNumActHandles   equ      4bh
GetPagesForHandle  equ      4ch
GetPagesAllHandles equ      4dh


;
;    Define the 3.2 and 4.0 EMS function codes:
;
;    Note that these are 16 bit values which
;    are loaded into AX prior to calling
;    the EMS interrupt. (These can be regarded
;    as an 8 bit function plus an 8 bit sub-
;    function.
;
;    The 3.2 codes:
;
SavePageMap32      equ      4e00h
RestPageMap32      equ      4e01h
SwapPageMap32      equ      4e02h
GetMapInfoSize32   equ      4e03h


;
;    The 4.0 codes:
;
```

```
SavePartialMap40        equ     4f00h
RestPartialMap40        equ     4f01h
GetPMapInfoSize40       equ     4f02h

MapPagesByNum40         equ     5000h
MapPagesByAddr40        equ     5001h

ReallocHandPages40      equ     5100h

GetHandleAttr40         equ     5200h
SetHandleAttr40         equ     5201h
GetAttrCapability40     equ     5202h

GetHandleName40         equ     5300h
SetHandleName40         equ     5301h

GetAllHandleNames40     equ     5400h
SearchHandleName40      equ     5401h
GetTotalHandles40       equ     5402h

MapPagesJumpNum40       equ     5500h
MapPagesJumpSeg40       equ     5501h

MapPagesCallNum40       equ     5600h
MapPagesCallSeg40       equ     5601h
GetStackNeeded40        equ     5602h

MoveMemRegion40         equ     5700h
SwapMemRegions40        equ     5701h

GetAddrsMappable40      equ     5800h
GetNumMappable40        equ     5801h

GetHWConfig40           equ     5900h
GetNumRawPages40        equ     5901h

AllocHandleStd40        equ     5a00h
AllocHandleRaw40        equ     5a01h
GetAltMapRegs40         equ     5b00h
SetAltMapRegs40         equ     5b01h
GetAltMapRegSize40      equ     5b02h
AllocAltMapRegs40       equ     5b03h
ReleaseAltMapRegs40     equ     5b04h
AllocDMARegs40          equ     5b05h
EnableDMA40             equ     5b06h
DisableDMA40            equ     5b07h
ReleaseDMARegs40        equ     5b08h

PrepEmmWarmBoot40       equ     5c00h

EnableEmmOSFuncs40      equ     5d00h
DisableEmmOSFuncs40     equ     5d01h
ReleaseAccessKey40      equ     5d02h
```

## Determining if EMS is present

Figure 3-8 presents the source code listing to EMSINIT.C.

**3-8** The source code listing to EMSINIT.C.

```
//////////////////////////////////////
//
// emsinit.c
//
//      Provides the ems·present function, emm_present()
//
//      int     ems_present(void);
//
//      Returns TRUE if EMS is present.
//
//////////////////////////////////////

//////////////////////////
// include standard
// I/O functions

#include <stdio.h>
#include <stdlib.h>
#include <fcntl.h>
#include <io.h>
#include <dos.h>
#include <sys/types.h>
#include <sys/stat.h>

//////////////////////////
//
// include ems memory
// management header
// files

#include "gdefs.h"
#include "ems.h"


int ems_present()

{

    int         emmxxxx0_handle;

    REGISTERS;


    //
    //  First try opening the device "EMMXXXX0"
    //
    emmxxxx0_handle= open("EMMXXXX0", O_RDONLY);
    if (emmxxxx0_handle == -1) {
        //
        //  There was some kind of error. EMS must be unavailable.
        //
        return FALSE;
        }


    //
    //  Now we've got something. We need to make sure it's not
    //  a file, but a device. ioctl() can give us this info.
    //
```

```
R_AH= 0x44;
R_DS= 0;
R_DX= 0;
R_CX= 0;
R_BX= emmxxxx0_handle;
R_AL= 0;
interrupt(0x21);
if (R_CY || !(R_DX & 0x80)) {
    //
    // Error occured, or status was for a file. Close
    // handle, and return FALSE.
    //
    close(emmxxxx0_handle);

    return FALSE;
    }

//
// Finally, check the output status. If it's 0 that's bad.
//
R_AH= 0x44;
R_DS= 0;
R_DX= 0;
R_CX= 0;
R_BX= emmxxxx0_handle;
R_AL= 7;
interrupt(0x21);
if (R_CY || R_AL == 0) {
    //
    // Error occured, or status was bad. Close
    // handle, and return FALSE.
    //
    close(emmxxxx0_handle);

    return FALSE;
    }

//
// If we got here, we must be golden. Close the handle
// and return True.
//
close(emmxxxx0_handle);

return TRUE;
}
```

The ems_present(...) function determines if an expanded memory manager is present by trying to open it as a device. If the EMM can be opened, then the EMM is present, while if the EMM cannot be opened, then it isn't present.

### Function ems_present(...)

```
status = ems_present( );
```

## Getting EMM status

Figure 3-9 shows the source code listing for EMS40.ASM.

**3-9** The source code listing to EMS40.ASM.

```
;****************************************************************
;***      EMS40.ASM                                         ***
;***                                                        ***
;***      int ems_getStatus()                               ***
;***                                                        ***
;***      Returns 0 for OK status or an error               ***
;***      code.                                             ***
;***                                                        ***
;***      (Ems Version 3.0)                                 ***
;****************************************************************

;-------------------------------------
;
; Declare memory model and language
;
        .model  large,C

;-------------------------------------
;
; Include ems definition file
;
        include emsdefs.asm

;-------------------------------------
;
; Declare errno as extrn to this
; module
;
        extrn   errno:WORD

;-------------------------------------
;
; Declare function as PUBLIC
;
        public  ems_getStatus

;-------------------------------------
;
; Begin code segment
;
        .code

ems_getStatus   proc

        mov     ah,GetStatus        ; Move function code
        int     Ems                 ; Do the ems call

;
;   Return AH to caller
;
        mov     al,ah
        xor     ah,ah               ; Zero high byte
        mov     errno,ax            ; Save in errno too
```

```
        ret                         ; Return to caller
ems_getStatus    endp               ; End of procedure
        end                         ; End of source file
```

Function emm__getStatus(...) is used to get the status of the expanded memory Manager. It should be called only after function emm__present(...) has been called to determine if the EMM, in fact, is present.

### Function emm__getStatus(...)

```
status = emm__getStatus( );
```

## Getting the page frame address

Figure 3-10 presents the source code listing to EMS41.ASM.

**3-10**  The source code listing to EMS41.ASM.

```
;*******************************************************************
;***     EMS41.ASM                                           ***
;***                                                         ***
;***     int ems_getPFA(void **pfa_ptr)                      ***
;***                                                         ***
;***     Returns PFA through pfa_ptr parameter.             ***
;***     Gives 0 if no error, or an error code.             ***
;***                                                         ***
;***                                                         ***
;***     (Ems Version 3.0)                                   ***
;*******************************************************************

        .model  large,C

        include emsdefs.asm

        extrn   errno:WORD

;
;   Define entry point
;
        public  ems_getPFA

        .code

ems_getPFA      proc    pfa:far ptr dword

        mov     ah,GetPFA           ; Move function code
        int     Ems                 ; Do the ems call

;
;   Check AH to see if an error occured:
;
        or      ah,ah               ; Set flags
        jnz     error

;
;   BX has a segment address, put it in the high word
```

```
;   of the caller's location, and put zero in the low
;   word giving BX:0000 for an address.
;
            mov     ax,bx               ; Save bx
            les     bx,pfa              ; Get address for return
            mov     es:[bx+2],ax        ; Put segment down
            xor     ax,ax               ; AX gets a zero
            mov     es:[bx],ax          ; Put offset down

            ret                         ; Return to caller (AX == 0)

error:
            mov     al,ah
            xor     ah,ah               ; Zero high byte
            mov     errno,ax            ; Save in errno too
            ret                         ; Return to caller

ems_getPFA      endp                    ; End of procedure

            end                         ; End of source file
```

Function ems_getPFA(...) is used to obtain a far pointer to the EMS page frame address. This far pointer will be used in the EMS higher level routines to write data to and read data from the EMS physical pages.

### Function ems_getPFA(...)

status = getPFA(EMS_PageFrame *page_frame);

where

page_frame    Receives pointer to EMS page frame (see EMS.H, FIG. 3-6, for the EMS_PageFrame structure).

## Getting the number of free EMS pages

Figure 3-11 presents the source code listing to EMS42.ASM.

**3-11**  The source code listing to EMS42.ASM.

```
;****************************************************************
;***    EMS42.ASM                                          ***
;***                                                       ***
;***    int ems_getFreeEM(int *total,                      ***
;***                       int *free)                      ***
;***                                                       ***
;***    Returns the total number of EMS pages and the      ***
;***    number of pages available. Returns 0 if no error   ***
;***    or an error code.                                  ***
;***                                                       ***
;***                                                       ***
;***    (Ems Version 3.0)                                  ***
;****************************************************************

            .model  large,C
```

```
                include emsdefs.asm

                extrn    errno:WORD

;
;    Define entry point
;
                public   ems_getFreeEM

                .code

ems_getFreeEM   proc     total:far ptr word, free:far ptr word

                mov      ah,GetFreeEM          ; Move function code
                int      Ems                   ; Do the ems call

                or       ah,ah                 ; Set flags
                jnz      error

;
;    BX now has the number of free EMS pages, DX has the total
;    number of EMS pages. Return the values:
;
                mov      ax,bx                 ; Save free pages
                les      bx,free               ; Get address of free
                mov      es:[bx],ax            ; Put free pages down
                les      bx,total              ; Get address of total
                mov      es:[bx],dx            ; Put total pages down

                xor      ax,ax
                ret                            ; AX has zero
error:
                mov      al,ah
                xor      ah,ah                 ; Zero high byte
                mov      errno,ax              ; Save in errno too
                ret

ems_getFreeEM   endp                           ; End of procedure

                end                            ; End of source file
```

Function ems_getFreeEM(...) gets the total number of EMS pages installed and also the number of EMS pages available.

### Function ems_getFreeEM(...)

status = ems_getFreeEM(WORD *total, WORD *free);

where

    total    Receives number of EMS pages installed.
    free     Receives number of free EMS pages available.

## Allocating EMS handle and pages

Figure 3-12 presents the source code listing to EMS43.ASM.

**3-12**   The source code listing to EMS43.ASM.

```
;******************************************************************
;***        EMS43.ASM                                        ***
;***                                                         ***
;***        int ems_allocEM(WORD pages, WORD *handle)        ***
;***                                                         ***
;***        Takes the number of pages to allocate and returns ***
;***        a handle with that number of pages. On error,    ***
;***        returns a non-zero error code.                    ***
;***                                                         ***
;***                                                         ***
;***        (Ems Version 3.0)                                ***
;******************************************************************

            .model  large,C

            include emsdefs.asm

            extrn   errno:WORD

;
;   Define entry point
;
            public  ems_allocEM

            .code

ems_allocEM     proc    pages:word, handle:far ptr word

;
;   BX takes the number of pages to allocate:
;
            mov     bx,pages

            mov     ah,AllocateEM           ; Move function code
            int     Ems                     ; Do the ems call

            or      ah,ah                   ; Set flags
            jnz     error

;
;   DX now has the EMM handle. Return it:
;
            les     bx,handle               ; Get address of handle
            mov     es:[bx],dx              ; Put handle down

            xor     ax,ax                   ; AX gets 0
            ret                             ; Return to caller

error:
            mov     al,ah                   ; Transfer return code to al
            xor     ah,ah                   ; Zero high byte
            mov     errno,ax                ; Save in errno too
            ret                             ; Return to caller

ems_allocEM     endp                        ; End of procedure

            end                             ; End of source code
```

Function ems_allocEM(...) is used to allocate a specified number of EMS pages required for use by your program. You reference this collection of EMS pages by using the pages EMS handle.

### Function ems_allocEM(...)

status = ems_allocEM(WORD pages, WORD *handle);

where

pages    The number of 16K pages you want to allocate.
handle   Receives the handle associated with the allocated pages.

## Mapping the expanded memory page

Figure 3-13 presents the source code listing to EMS44.ASM.

**3-13**    The source code listing to EMS44.ASM.

```
;****************************************************************
;***     EMS44.ASM                                          ***
;***                                                        ***
;***     int ems_mapPage(WORD physical_page,               ***
;***                     WORD logical_page,                ***
;***                     WORD handle);                     ***
;***                                                        ***
;***     Maps a physical page into a specified logical page. ***
;***                                                        ***
;***                                                        ***
;***     (Ems Version 3.0)                                  ***
;****************************************************************

        .model  large,C

        include emsdefs.asm

        extrn   errno:WORD

;
;    Define entry point
;
        public  ems_mapPage

        .code

ems_mapPage proc    physical_page:Word, logical_page:Word, handle:Word

;
;    AL takes the physical page number, BX, the logical page number,
;    and DX, the handle.
;
        mov     ax,physical_page
        mov     bx,logical_page
        mov     dx,handle

        mov     ah,MapEMPage            ; Move function code
        int     Ems                     ; Do the ems call
```

```
        or      ah,ah                   ; Set flags
        jnz     error

        xor     ax,ax                   ; AX gets 0
        ret                             ; Return to caller
error:
        mov     al,ah                   ; Transfer return code to al
        xor     ah,ah                   ; Zero high byte
        mov     errno,ax                ; Save in errno too
        ret                             ; Return to caller

ems_mapPage endp                        ; End of procedure

        end                             ; End of source listing
;
;-------------------------------------
```

Function ems_mapPage(...) is used to map EMS logical pages to one of the four physical pages located in the 64K page frame segment.

### Function ems_mapPage(...)

status = ems_mapPage(WORD phys, WORD log, WORD handle);

where

phys     The physical page number (0 – 3).
log      The EMS logical page to be mapped.
handle   The handle associated with the EMS pages.

## Freeing EMS memory and releasing the handle

Figure 3-14 presents the source code listing to EMS45.ASM.

**3-14** The source code listing to EMS45.ASM.

```
;****************************************************************
;***     EMS45.ASM                                          ***
;***                                                        ***
;***     int ems_freeEM(WORD handle)                        ***
;***                                                        ***
;***     Releases an EMM handle along with the associated   ***
;***     pages.                                             ***
;***                                                        ***
;***                                                        ***
;***     (Ems Version 3.0)                                  ***
;****************************************************************

        .model  large,C

        include emsdefs.asm

        extrn   errno:WORD
```

```
;
;   Define entry point
;
        public  ems_freeEM

        .code

ems_freeEM      proc    handle:Word

;
;   DX takes the number of pages to allocate:
;
        mov     dx,handle

        mov     ah,FreeEM               ; Move function code
        int     Ems                     ; Do the ems call

        or      ah,ah                   ; Set flags
        jnz     error

        xor     ax,ax                   ; AX gets 0
        ret                             ; Return to caller

error:
        mov     al,ah                   ; Transfer return code to al
        xor     ah,ah                   ; Zero high byte
        mov     errno,ax                ; Save in errno too
        ret                             ; Return to caller

ems_freeEM      endp                    ; End of procedure

        end                             ; End of source listing
```

Function ems_freeEM(...) frees up all the EMS memory that had been previously allocated and associated with a specified handle.

### Function ems_freeEM(...)

status = ems_freeEM(WORD handle);

where

handle  Associated with specified EMS memory.

## Get EMS version number

Figure 3-15 presents the source code listing to EMS46.ASM.

**3-15**  The source code listing to EMS46.ASM.

```
;***************************************************************
;***     EMS46.ASM                                         ***
;***                                                        ***
;***     int ems_getVersion(int *version)                  ***
;***                                                        ***
;***     Gives the EMS version.                            ***
;***                                                        ***
```

**3-15** Continued.

```
;***                                                            ***
;***       (Ems Version 3.0)                                    ***
;****************************************************************

          .model   large,C

          include  emsdefs.asm

          extrn    errno:WORD

;
;   Define entry point
;
          public   ems_getVersion

          .code

ems_getVersion proc     version:Far Ptr Word

          mov      ah,GetVersion         ; Move function code
          int      Ems                   ; Do the ems call

          or       ah,ah                 ; Set flags
          jnz      error

;
;   AL now has the EMS version.
;
          xor      ah,ah                 ; Zero extend
          les      bx,version            ; Get address of version
          mov      es:[bx],ax            ; Return it

          xor      ax,ax                 ; AX gets 0
          ret                            ; Return to caller

error:
          mov      al,ah                 ; Transfer return code to al
          xor      ah,ah                 ; Zero high byte
          mov      errno,ax              ; Save in errno too
          ret                            ; Return to caller

ems_getVersion endp                      ; End of procedure

          end                            ; End of source file
```

Function ems_getVersion(...) returns the current version number in Binary Coded Decimal (BCD) format.

### Function ems_getVersion(...)

status = ems_getVersion(WORD *version);

where

version    Receives the EMS version number in BCD format.

## Saving the contents of page map registers

Figure 3-16 presents the source code listing to EMS47.ASM.

**3-16** The source code listing to EMS47.ASM.

```
;****************************************************************
;***      EMS47.ASM                                        ***
;***                                                       ***
;***      int ems_savePageMap(WORD handle)                 ***
;***                                                       ***
;***      Saves the page map state for the                ***
;***      specified handle.                                ***
;***                                                       ***
;***                                                       ***
;***      (Ems Version 3.0)                                ***
;****************************************************************

        .model  large,C

        include emsdefs.asm

        extrn   errno:WORD

;
;   Define entry point
;
        public  ems_savePageMap

        .code

ems_savePageMap proc     handle:Word

;
;   DX takes the handle
;
        mov     dx,handle

        mov     ah,SavePageMap        ; Move function code
        int     Ems                   ; Do the ems call

        or      ah,ah                 ; Set flags
        jnz     error

        xor     ax,ax                 ; AX gets 0
        ret                           ; Return to caller
error:
        mov     al,ah                 ; Transfer return code to al
        xor     ah,ah                 ; Zero high byte
        mov     errno,ax              ; Save in errno too
        ret                           ; Return to caller

ems_savePageMap endp                  ; End of procedure

        end                           ; End of source file
```

Function ems_savePageMap(...) saves the page map (the mapping of physical pages to logical pages) to a save area associated with a specified handle.

### Function ems_savePageMap(...)

status = ems_savePageMap(WORD handle);

where

handle   Is to be associated with current map state.

## Restore the contents of page map registers

Figure 3-17 presents the source code listing to EMS48.ASM.

**3-17** The source code listing to EMS48.ASM.

```
;****************************************************************
;***      EMS48.ASM                                      ***
;***                                                     ***
;***      int ems_restorePageMap(WORD handle)            ***
;***                                                     ***
;***      Saves the page map state for the              ***
;***      specified handle.                              ***
;***                                                     ***
;***                                                     ***
;***      (Ems Version 3.0)                              ***
;****************************************************************

        .model  large,C

        include emsdefs.asm

        extrn   errno:WORD


;
;   Define entry point
;
        public  ems_restorePageMap

        .code

ems_restorePageMap proc     handle:Word

;
;   DX takes the handle
;
        mov     dx,handle

        mov     ah,RestorePageMap       ; Move function code
        int     Ems                     ; Do the ems call

        or      ah,ah                   ; Set flags
        jnz     error

        xor     ax,ax                   ; AX gets 0
        ret                             ; Return to caller
```

```
error:
        mov     al,ah                           ; Transfer return code to al
        xor     ah,ah                           ; Zero high byte
        mov     errno,ax                        ; Save in errno too
        ret                                     ; Return to caller

ems_restorePageMap endp                         ; End of procedure

        end                                     ; End of source file
```

Function ems_restorePageMap(...) restores the registers that had previously been saved using the ems_savePageMap(...) function.

### Function ems_restorePageMap(...)

status = ems_restorePageMap(WORD handle);

where

handle   Associated with previously saved map state.

## Getting active EMM handles

Figure 3-18 presents the source code listing to EMS4B.ASM.

**3-18**  The source code listing to EMS4B.ASM.

```
;******************************************************************
;***    EMS4B.ASM                                          ***
;***                                                       ***
;***    int ems_getNumActiveHandles(WORD *num_handles)     ***
;***                                                       ***
;***    Gives the number of active EMM handles             ***
;***                                                       ***
;***                                                       ***
;***    (Ems Version 3.0)                                  ***
;******************************************************************

        .model  large,C

        include emsdefs.asm

        extrn   errno:WORD


;
;   Define entry point
;
        public  ems_getNumActiveHandles

        .code

ems_getNumActiveHandles proc    num_handles:Far Ptr Word


        mov     ah,GetNumActHandles     ; Move function code
        int     Ems                     ; Do the ems call

        or      ah,ah                   ; Set flags
```

```
        jnz     error

;
;   Return the result:
;
        mov     ax,bx                   ; Number of handles
        les     bx,num_handles
        mov     es:[bx],ax              ; Give it back

        xor     ax,ax                   ; AX gets 0
        ret                             ; Return to caller

error:
        mov     al,ah
        xor     ah,ah                   ; Zero high byte
        mov     errno,ax                ; Save in errno too
        ret                             ; Return to caller

ems_getNumActiveHandles endp            ; End of procedure

        end                             ; End of source file
```

Function ems_getNumActiveHandles(...) acquires the number of active EMM handles.

### Function ems_getNumActiveHandles(...)

status = ems_getNumActiveHandles(WORD *handles);

where

handles   Receives number of active handles.

## Getting pages for handle

Figure 3-19 presents the source code listing to EMS4C.ASM.

3-19   The source code listing to EMS4C.ASM.

```
;****************************************************************
;***    EMS4C.ASM                                          ***
;***                                                       ***
;***    int ems_getPagesForHandle(WORD handle,             ***
;***                       WORD *num_pages)                ***
;***                                                       ***
;***    Gives the number of pages associated with a        ***
;***    given EMM handle.                                  ***
;***                                                       ***
;***                                                       ***
;***    (Ems Version 3.0)                                  ***
;****************************************************************

        .model  large,C

        include emsdefs.asm

        extrn   errno:WORD
```

```
;
;   Define entry point
;
        public  ems_getPagesForHandle

        .code

ems_getPagesForHandle proc      handle:Word, num_pages:Far Ptr Word

;
;   DX takes the handle
;
        mov     dx,handle

        mov     ah,GetPagesForHandle    ; Move function code
        int     Ems                     ; Do the ems call

        or      ah,ah                   ; Set flags
        jnz     error


;
;   Return the result:
;
        mov     ax,bx                   ; Number of pages
        les     bx,num_pages
        mov     es:[bx],ax              ; Give it back

        xor     ax,ax                   ; AX gets 0
        ret                             ; Return to caller

error:
        mov     al,ah                   ; Transfer return code to al
        xor     ah,ah                   ; Zero high byte
        mov     errno,ax                ; Save in errno too
        ret                             ; Return to caller

ems_getPagesForHandle endp              ; End of procedure

        end                             ; End of source file
```

Function ems_getPagesForHandle(...) gets the number of EM pages associated with a given handle.

### Function ems_getPagesForHandle(...)

status = ems_getPagesForHandle(WORD handle, WORD *pages);

where

handle    A previously allocated handle.
pages     Receives number of pages associated with handle.

## Getting handle pages

Figure 3-20 presents the source code listing to EMS4D.ASM.

Function ems_getPagesAllHandles(...) gets the number of all the active handles and the number of pages associated with each of those handles.

**3-20** The source code listing to EMS4D.ASM.

```
;*****************************************************************
;***      EMS4D.ASM                                        ***
;***                                                       ***
;***      typedef struct {                                 ***
;***          WORD    handle;                              ***
;***          WORD    num_pages;                           ***
;***          }  HandleInfo_type;                          ***
;***                                                       ***
;***      int ems_getPagesAllHandles(HandleInfo_type       ***
;***                                      info[],           ***
;***                          WORD *num_handles)           ***
;***                                                       ***
;***      Gives the number of pages associated with each   ***
;***      active EMM handle, and the number of active      ***
;***      EMM handles.                                     ***
;***                                                       ***
;***                                                       ***
;***      (Ems Version 3.0)                                ***
;*****************************************************************

        .model   large,C

        include  emsdefs.asm

        extrn    errno:WORD

;
;   Define entry point
;
        public   ems_getPagesAllHandles

        .code

ems_getPagesAllHandles proc    info:Far Ptr DWord, num_handles:Far Ptr Word

        push     di                     ; Save DI, we need it

;
;   ES:[DI] gets the buffer address
;
        les      di,info

        mov      ah,GetPagesAllHandles  ; Move function code
        int      Ems                    ; Do the ems call

        or       ah,ah                  ; Set flags
        jnz      error

;
;   Return the number of handles:
;
        mov      ax,bx                  ; Number of handles
        les      bx,num_handles
        mov      es:[bx],ax             ; Give it back

        xor      ax,ax                  ; AX gets 0
        pop      di                     ; Restore di
        ret                             ; Return to caller
```

```
error:

        pop     di                      ; Restore di

        mov     al,ah                   ; Transfer return code to al
        xor     ah,ah                   ; Zero high byte
        mov     errno,ax                ; Save in errno too
        ret                             ; Return to caller

ems_getPagesAllHandles endp             ; end of procedure

        end                             ; end of source file
```

### Function ems_getPagesAllHandles(...)

status = ems_getPagesAllHandles(EMS_HandleInfo info[],
                                WORD *handles);

where

info[]    A pointer to structure (see EMS.H, FIG. 3-6).
handle    Receives the number of active handles.

## EMS 3.2 added functions

Four additional functions are added with EMS 3.2. These functions provide more flexibility in saving the map state.

Figure 3-21 presents the source code listing to EMS4E0.ASM.
Figure 3-22 presents the source code listing to EMS4E1.ASM.
Figure 3-23 presents the source code listing to EMS4E2.ASM.
Figure 3-24 presents the source code listing to EMS4E3.ASM.

**3-21**  The source code listing to EMS4E0.ASM.

```
;****************************************************************
;***     EMS4E0.ASM                                        ***
;***                                                        ***
;***     int ems_savePageMap32(DWORD *save_buffer)          ***
;***                                                        ***
;***     Returns 0 for OK status or an error               ***
;***     code.                                             ***
;***                                                        ***
;***     (Ems Version 3.2)                                 ***
;****************************************************************

        .model  large,C

        include emsdefs.asm

        extrn   errno:WORD

;
;   Define entry point
;
        public  ems_savePageMap32
```

```
        .code

ems_savePageMap32    proc save_buff:Far Ptr DWord

        push    di                      ; Save di

        les     di,save_buff            ; Get address of buffer into ES:DI

        mov     ax,SavePageMap32        ; Make the EMS call to save the map
        int     Ems

        or      ah,ah                   ; Check for error
        jnz     error

        xor     ax,ax                   ; AX gets 0
        pop     di                      ; Restore di
        ret                             ; Return to caller

error:
        pop     di                      ; Restore di

        mov     al,ah
        xor     ah,ah                   ; Zero high byte
        mov     errno,ax                ; Save in errno too
        ret                             ; Return to caller

ems_savePageMap32    endp               ; End of procedure

        end                             ; End of source file
```

**3-22** The source code listing to EMS4E1.ASM.

```
;****************************************************************
;***      EMS4E1.ASM                                        ***
;***                                                        ***
;***      int ems_restPageMap32(DWORD *restore_buffer)      ***
;***                                                        ***
;***      Returns 0 for OK status or an error              ***
;***      code.                                             ***
;***                                                        ***
;***      (Ems Version 3.2)                                 ***
;****************************************************************

        .model  large,C

        include emsdefs.asm

        extrn   errno:WORD

;
;    Define entry point
;
        public  ems_restPageMap32

        .code

ems_restPageMap32    proc restore_buff:Far Ptr DWord
```

```
        push    ds                      ; Save ds
        push    si                      ; Save si

        lds         si,restore_buff         ; Get buffer address into DS:SI

        mov         ax,RestPageMap32
        int     Ems

        or      ah,ah                   ; Check for error
        jnz     error

        xor     ax,ax                   ; Return a zero meaning no error

        pop         si                      ; Restore si
        pop         ds                      ; Restore ds
        ret                             ; Return to caller

error:
        pop     si                      ; Restore si
        pop     ds                      ; Restore ds

        mov     al,ah
        xor     ah,ah                   ; Zero high byte
        mov     errno,ax                ; Save in errno too
        ret                             ; Return to caller

ems_restPageMap32    endp               ; End of procedure

        end                             ; End of source file
```

**3-23** The source code listing to EMS4E2.ASM.

```
;*****************************************************************
;***    EMS4E2.ASM                                       ***
;***                                                     ***
;***    int ems_swapPageMap32(DWORD *restore_buffer,     ***
;***                    DWORD *save_buffer)              ***
;***                                                     ***
;***    Returns 0 for OK status or an error             ***
;***    code.                                            ***
;***                                                     ***
;***    (Ems Version 3.2)                                ***
;*****************************************************************

        .model  large,C

        include emsdefs.asm

        extrn   errno:WORD

;
;   Define entry point
;
        public  ems_swapPageMap32

        .code

ems_swapPageMap32  proc restore_buff:Far Ptr DWord, save_buff:Far Ptr DWord
```

**3-23** Continued.

```
        push    ds                      ; Save ds
        push    si                      ; Save si
        push    di                      ; Save di

        lds     si,restore_buff         ; Get map to restore into DS:SI
        les     di,save_buff            ; Get save area address into ES:DI

        mov     ax,SwapPageMap32        ; Call EMS to swap
        int     Ems

        or      ah,ah                   ; Check for error
        jnz     error

        xor     ax,ax                   ; Return a zero meaning no error

        pop     di                      ; Restore di
        pop     si                      ; Restore si
        pop     ds                      ; Restore ds
        ret                             ; Return to caller

error:
        pop     di                      ; Restore di
        pop     si                      ; Restore si
        pop     ds                      ; Restore ds

        mov     al,ah
        xor     ah,ah                   ; Zero high byte
        mov     errno,ax                ; Save in errno too
        ret                             ; Return to caller

ems_swapPageMap32    endp               ; End of procedure

        end                             ; End of source file
```

**3-24** The source code listing to EMS4E3.ASM.

```
;***************************************************************
;***     EMS4E3.ASM                                         ***
;***                                                        ***
;***     int ems_getMapInfoSize32(WORD *map_size)           ***
;***                                                        ***
;***     Returns 0 for OK status or an error               ***
;***     code.                                              ***
;***                                                        ***
;***     (Ems Version 3.2)                                  ***
;***************************************************************

        .model  large,C

        include emsdefs.asm

        extrn   errno:WORD

;
;    Define entry point
;
        public  ems_getMapInfoSize32

        .code
```

```
ems_getMapInfoSize32  proc map_size:Far Ptr Word

        mov     ax,GetMapInfoSize32     ; Make the call to get the size
        int     Ems

        or      ah,ah                   ; Check for an error
        jnz     error

;
;    Return the info. Size is in AL. We zero extend it to
;    16 bits and return it.
;
        les     bx,map_size             ; Get address of return spot
        xor     ah,ah                   ; Zero extend to 16 bits
        mov     es:[bx],ax              ; Return the size

        xor     ax,ax                   ; Return a zero meaning no error
        ret                             ; Return to caller
error:
        pop     di                      ; Restore di
        pop     es                      ; Restore es

        mov     al,ah
        xor     ah,ah                   ; Zero high byte
        mov     errno,ax                ; Save in errno too
        ret                             ; Return to caller

ems_getMapInfoSize32    endp            ; End of procedure

        end                             ; End of source file
```

# EMS function error reporting

Figure 3-25 presents the source code listing to EMSERR.C.

This source file contains the functions that support the EMS error reporting system.

**3-25**  The source code listing to EMSERR.C.

```
//////////////////////////////////////
//
// emserr.c
//
//   Provides error handling for demo programs.
//
//////////////////////////////////////

//////////////////////////
// include standard
// I/O functions

#include <stdio.h>
#include <stdlib.h>
#include <dos.h>
```

```
/////////////////////////
//
// include ems memory
// management header
// files

#include "gdefs.h"
#include "ems.h"

/////////////////////////
// begin program

char    *ems_errorText(err)

    WORD    err;

{
    static char buff[64];

    switch (err) {
    case EMSErrOK:
        return "No error";
    case EMSErrInternal:
        return "Internal EMM software error";
    case EMSErrHardware:
        return "EM Hardware error";
    case EMSErrEMMBusy:
        return "EMM Busy";
    case EMSErrHandInv:
        return "Handle Invalid";
    case EMSErrUnimp:
        return "Undefined EMS function";
    case EMSErrNoHandles:
        return "Handles Exhausted";
    case EMSErrSaveRest:
        return "Error in save/restore of context";
    case EMSErrReqGTPhys:
        return "Not enough physical EM for request";
    case EMSErrReqGTAvail:
        return "Not enough available EM for request";
    case EMSErrReqIsZero:
        return "Cannot allocate zero pages";
    case EMSErrLogPgInv:
        return "Invalid logical page number";
    case EMSErrPhysPgInv:
        return "Invalid physical page number";
    case EMSErrSSAreaFull:
        return "Mapping save area is full";
    case EMSErrSaveFail:
        return "Handle already has a saved state associated with it";
    case EMSErrRestFail:
        return "Handle has no saved state associated with it";
    case EMSErrParameter:
        return "Subfunction parameter not defined";
    case EMSErrAttribute:
        return "Attribute type not defined";
```

```c
        case EMSErrUnsupported:
            return "Feature not supported";
        case EMSErrOverlap:
            return "Source/dest of move overlap, move performed";
        case EMSErrLenInv:
            return "Length of move request invalid";
        case EMSErrOverlapCE:
            return "Overlap of conventional and extended memory";
        case EMSErrOffsetInv:
            return "Offset outside logical page";
        case EMSErrRegionGT1MB:
            return "Region size > 1 megabyte";
        case EMSErrOverlapFatal:
            return "Source/dest overlap prevented move";
        case EMSErrMemTypeInv:
            return "Memory source/dest types invalid";
        case EMSErrDMARegUnsupp:
            return "Specified alternate register set unsupported";
        case EMSErrNoDMARegs:
            return "No available alternate register sets";
        case EMSErrAltRegsUnsupp:
            return "Alternate registers unsupported";
        case EMSErrDMARegUndef:
            return "Specified alternate register set undefined";
        case EMSErrDMAChanUnsupp:
            return "Dedicated DMA channels unsupported";
        case EMSErrChanUnsupp:
            return "Specified DMA channel unsupported";
        case EMSErrNameNotFound:
            return "No handle found for name";
        case EMSErrNameExists:
            return "Handle with same name already exists";
        case EMSErrPointerInv:
            return "Invalid pointer or source array bogus";
        case EMSErrAccess:
            return "Access denied by operating system";
        default:
            sprintf(buff, "Unknown error 0x%X", err);
            return buff;
            }
}

void ems_demoError(function)

    char    *function;

{

    //
    //  Report the error:
    //
    printf("Error on %s(): \"%s\"\n", function, ems_errorText(errno));
    exit(0);

}
```

**Function ems_errorText(...)**

(char *)string = ems_errorText(WORD error);

where

WORD error  Holds the error number value.
string      Points to the error code text message.

## Summary

This chapter presented a BIOS-level EMS 3.0 and 3.2 interface in the large memory model. Some of the routines presented allow you to determine if an EMM is installed, if the EMM's status is OK, to allocate a specified number of EMS pages, to map logical pages to the EMS page frame, to get a far pointer to the page frame, and release the previously allocated memory.

These routines will form a firm foundation for the EMS portion of the Virtual Memory Management system presented in Chapter 6.

# 4
# *EMS 4.0*

In a similar fashion to that of Chapter 3, this chapter will present the functional capabilities of EMS 4.0. Although EMS 4.0 adds wide ranging capabilities to your memory management bag of tricks, you must be thoughtful about using EMS 4.0 functions in commercial application programs.

The reason, of course, is that there might still be some computers in the market with EMM's supporting EMS 3.0 or 3.2. If your program will be reaching the commercial marketplace, then you will have to think hard about whether you must support pre-revision 4.0 EMM.

On the other hand, if you're writing a program to work in a known environment that does indeed support EMS 4.0, then it makes great sense to use as many features of EMS 4.0 as you want to.

## EMS 4.0 demonstration programs

The programs presented in this section of Chapter 4 demonstrate the use of many EMS 4.0 functions. The source code has purposely been heavily documented to facilitate your understanding of these functions.

PROG4-1.C demonstrates the following features:

- Getting the number of mappable pages.
- Getting the address of mappable pages.

Figure 4-1 presents the source code listing to PROG4-1.C.

**4-1** The source code listing to PROG4-1.C.

```
/////////////////////////////////////
//
// prog4-1.c
//
//        Demonstrates
//                - Get number of mappable pages
//                - Get addresses of mappable pages
//
/////////////////////////////////////

/////////////////////////
// include standard
// I/O functions

#include <stdio.h>
#include <stdlib.h>
#include <dos.h>
#include <string.h>

/////////////////////////
//
// include ems memory
// management header
// files

#include "gdefs.h"
#include "ems.h"

/////////////////////////
// begin program

void main()
{

        WORD    numMappablePages;
        WORD    numMappablePages2;

        WORD    i;

        EMS_MappablePagesInfo
                *pageAddress;


        //
        // First check for presence of EMS
        //
        if (!ems_present()) {
            printf("EMS is not present\n");
            return;
            }


        //
        // Find out how many mappable pages we have all together. In
        // 4.0, we do not have a fixed size page frame, we may have
        // many more than 4 mappable pages.
        //
        if (ems_getNumMappable40(&numMappablePages)) {
            ems_demoError("ems_getNumMappable40");
            }
```

```
//
//   Now allocate a buffer big enough to hold the addresses
//   of these pages.
//
pageAddress= (EMS_MappablePagesInfo *)
    malloc(sizeof(EMS_MappablePagesInfo) * numMappablePages);

//
//   Get the info
//
if (ems_getAddrsMappable40(pageAddress, &numMappablePages2)) {
    ems_demoError("ems_getAddrsMappable40");
    }

//
//   Sanity check that the page counts match.
//
if (numMappablePages != numMappablePages2) {
    printf("There is something really wrong here!\n");
    return;
    }

//
//   Now print the info out:
//
printf("|====Segment=Address=====|====Physical=Page=#=====|\n");

for (i= 0; i < numMappablePages; i++) {
    printf("|         0x%04X         |         %4d            |\n",
            pageAddress[i].pageSegment,
            pageAddress[i].physNumber);

    if (i < numMappablePages-1) {
        printf("|-----------------------|-----------------------|\n");
        }
    }
    printf("|=================================================|\n");
}
```

PROG4-2.C demonstrates the following features:

- Getting the hardware configuration.
- Getting the number of raw pages.

Figure 4-2 presents the source code listing to PROG4-2.C.

**4-2** The source code listing to PROG4-2.C.

```
/////////////////////////////////////
//
// prog4-2.c
//
//       Demonstrates
//            - Get hardware configuration
//            - Get number of raw pages
//
/////////////////////////////////////
```

**4-2** Continued.

```
///////////////////////
// include standard
// I/O functions

#include <stdio.h>
#include <stdlib.h>
#include <dos.h>
#include <string.h>

///////////////////////
//
// include ems memory
// management header
// files

#include "gdefs.h"
#include "ems.h"

///////////////////////
// begin program

void main()
{

    EMS_HardwareConfigInfo
                hwConfig;

    WORD        freeRawPages;
    WORD        totalRawPages;

    WORD        totalHandles;

    //
    //  First check for presence of EMS
    //
    if (!ems_present()) {
        printf("EMS is not present\n");
        return;
        }

    //
    //  Start by getting the hardware configuration
    //
    if (ems_getHWConfig40(&hwConfig)) {
        ems_demoError("ems_getHWConfig40");
        }


    //
    //  Now get the raw page counts
    //
    if (ems_getNumRawPages40(&totalRawPages, &freeRawPages)) {
        ems_demoError("ems_getNumRawPages40");
        }


    //
    //  Get the total handles that can be used.
    //
    if (ems_getTotalHandles40(&totalHandles)) {
        ems_demoError("ems_getTotalHandles40");
```

```
    }
//
//  Print the info out:
//
printf("Total # of raw pages:       %d\n", totalRawPages);
printf("# of free raw pages:        %d\n\n", freeRawPages);
printf("Total # of handles:         %d\n\n", totalHandles);
printf("Raw page size (bytes):      %d\n", 16*hwConfig.rawPgSize);
printf("Alternate reg sets:         %d\n", hwConfig.altRegSets);
printf("Context Save area size:     %d\n", hwConfig.saveAreaSz);
printf("# Regs assignable to DMA:   %d\n\n", hwConfig.regsDma);
printf("DMA %s be used with alternate registers",
        (hwConfig.dmaType) ? "cannot" : "can");
}
```

PROG4-3.C demonstrates the following features:

- Getting and setting the handle name.
- Searching for the handle name.

Figure 4-3 presents the source code listing to PROG4-3.C.

**4-3**   The source code listing to PROG4-3.C.

```
/////////////////////////////////////
//
// prog4-3.c
//
//      Demonstrates
//          - Get/Set handle name
//          - Search for handle name
//
/////////////////////////////////////

/////////////////////////
// include standard
// I/O functions

#include <stdio.h>
#include <stdlib.h>
#include <dos.h>

/////////////////////////
//
// include ems memory
// management header
// files

#include "gdefs.h"
#include "ems.h"

/////////////////////////
// begin program

extern void displayActiveHandles(void
extern void pause(void);

void main()
{
```

```
WORD      totalPages;
WORD      freePages;
WORD      handle1;
WORD      handle2;
WORD      handle3;
WORD      tmpHandle;


//
//   First check for presence of EMS
//
if (!ems_present()) {
    printf("EMS is not present\n");
    return;
    }


//
//   Get the number of free pages
//
if (ems_getFreeEM(&totalPages, &freePages)) {
    ems_demoError("ems_getFreeEM");
    }


//
//   Print header:
//
printf("        Operation        Avail Pages      Active Handles\n");
printf("=======================|=============|============================|\n");
printf("After initialization   |    %3d      | Handle   Pages     Name    |\n",
            freePages);

displayActiveHandles();
pause();


//
//   Now allocate 5 pages.
//
if (ems_allocEM(5, &handle1)) {
    ems_demoError("ems_allocEM");
    }


//
//   Set the name for the handle
//
if (ems_setHandleName40(handle1, "Aramis")) {
    ems_demoError("ems_setHandleName40");
    }


//
//   Get the number of free pages
//
if (ems_getFreeEM(&totalPages, &freePages)) {
    ems_demoError("ems_getFreeEM");
    }


//
//   Print header:
//
```

```
printf("        Operation          Avail Pages        Active Handles\n");
printf("=========================|=============|============================|\n");
printf("After 5 page allocate    |    %3d      | Handle    Pages     Name   |\n",
            freePages);

displayActiveHandles();
pause();

//
//  Now allocate 7 pages.
//
if (ems_allocEM(7, &handle2)) {
    ems_demoError("ems_allocEM");
    }

//
//  Set the name for the handle
//
if (ems_setHandleName40(handle2, "Athos")) {
    ems_demoError("ems_setHandleName40");
    }

//
//  Get the number of free pages
//
if (ems_getFreeEM(&totalPages, &freePages)) {
    ems_demoError("ems_getFreeEM");
    }

//
//  Print header:
//
printf("        Operation          Avail Pages        Active Handles\n");
printf("=========================|=============|============================|\n");
printf("After 7 page allocate    |    %3d      | Handle    Pages     Name   |\n",
            freePages);

displayActiveHandles();
pause();

//
//  Now allocate 6 pages.
//
if (ems_allocEM(6, &handle3)) {
    ems_demoError("ems_allocEM");
    }

//
//  Set the name for the handle
//
if (ems_setHandleName40(handle3, "Porthos")) {
    ems_demoError("ems_setHandleName40");
    }

//
//  Get the number of free pages
//
if (ems_getFreeEM(&totalPages, &freePages)) {
    ems_demoError("ems_getFreeEM");
    }
```

```
//
//   Print header:
//
printf("       Operation          Avail Pages        Active Handles\n");
printf("======================|=============|============================|\n");
printf("After 6 page allocate   |    %3d      | Handle   Pages      Name   |\n",
          freePages);

displayActiveHandles();
pause();

//
//   Now find and free the "Aramis" block.
//
if (ems_searchHandleName40(&tmpHandle, "Aramis")) {
    ems_demoError("ems_searchHandleName40");
    }
if (ems_freeEM(tmpHandle)) {
    ems_demoError("ems_freeEM");
    }

//
//   Get the number of free pages
//
if (ems_getFreeEM(&totalPages, &freePages)) {
    ems_demoError("ems_getFreeEM");
    }

//
//   Print header:
//
printf("       Operation          Avail Pages        Active Handles\n");
printf("======================|=============|============================|\n");
printf("After \"Aramis\" free    |    %3d      | Handle   Pages      Name   |\n",
          freePages);

displayActiveHandles();
pause();

//
//   Now free the "Athos" block.
//
if (ems_searchHandleName40(&tmpHandle, "Athos")) {
    ems_demoError("ems_searchHandleName40");
    }
if (ems_freeEM(tmpHandle)) {
    ems_demoError("ems_freeEM");
    }

//
//   Get the number of free pages
//
if (ems_getFreeEM(&totalPages, &freePages)) {
    ems_demoError("ems_getFreeEM");
    }

//
//   Print header:
```

```
    //
    printf("          Operation          Avail Pages         Active Handles\n");
    printf("========================|=============|============================|\n");
    printf("After \"Athos\" free       |     %3d     | Handle   Pages       Name   |\n",
                freePages);

    displayActiveHandles();
    pause();

    //
    //  Now free the "Porthos" block
    //
    if (ems_searchHandleName40(&tmpHandle, "Porthos")) {
        ems_demoError("ems_searchHandleName40");
        }
    if (ems_freeEM(tmpHandle)) {
        ems_demoError("ems_freeEM");
        }

    //
    //  Get the number of free pages
    //
    if (ems_getFreeEM(&totalPages, &freePages)) {
        ems_demoError("ems_getFreeEM");
        }

    //
    //  Print header:
    //
    printf("          Operation          Avail Pages         Active Handles\n");
    printf("========================|=============|============================|\n");
    printf("After \"Porthos\" free      |     %3d     | Handle   Pages       Name   |\n",
                freePages);

    displayActiveHandles();

}

void displayActiveHandles()
{

    EMS_HandleInfo      *handleInfoArray;

    WORD                numActiveHandles;
    WORD                numActiveHandles2;

    WORD                i;

    char                nameBuff[8];

    //
    //  First find out how many active handles there are:
    //
    if (ems_getNumActiveHandles(&numActiveHandles)) {
        ems_demoError("ems_getNumActiveHandles");
        }

    //
    //  Now allocate a block of handleInfo packets big enough to
    //  hold them.
```

```
    //
    handleInfoArray= (EMS_HandleInfo *)
                        malloc(numActiveHandles * sizeof(EMS_HandleInfo));

    //
    //   Now get the info.
    //
    if (ems_getPagesAllHandles(handleInfoArray, &numActiveHandles2)) {
        ems_demoError("ems_getNumActiveHandles");
        }

    //
    //   The following is a brief sanity clause (Everybody knows
    //   there ain't no sanity clause).
    //
    if (numActiveHandles2 != numActiveHandles) {
        printf("A most unusual situation has occured...\n");
        exit(0);
        }

    //
    //   Finally, display it.
    //
    printf("                       |-------------|--------|-------|----------|\n");

    for (i= 0; i < numActiveHandles; i++) {

        if (ems_getHandleName40(handleInfoArray[i].handle, nameBuff)) {
            ems_demoError("ems_getHandleName40");
            }

        printf(
            "                                        |  %3d   |  %3d  | %-8.8s |\n",
            handleInfoArray[i].handle,
            handleInfoArray[i].numPages,
            nameBuff);

        if (i+1 < numActiveHandles) {
            printf(
                "                                        |--------|-------|----------|\n");
            }
        }

    printf("=======================================|========|=======|==========|\n");

    //
    //   Now free up the arrays.
    //
    free(handleInfoArray);
}

void pause()

{

    //
    //   Display a little message:
```

```
//
printf("Hit <CR> to continue...");
fflush(stdout);

//
//  Wait for a <CR>
//
while (getchar() != '\n') {
    }

}
```

PROG4-4.C demonstrates the following feature:

- Getting all the handle names.

Figure 4-4 presents the source code listing to PROG4-4.C.

**4-4**  The source code listing to PROG4-4.C.

```
/////////////////////////////////////
//
// prog4-4.c
//
//      Demonstrates
//          - Get all handle names
//
/////////////////////////////////////

/////////////////////////
// include standard
// I/O functions

#include <stdio.h>
#include <stdlib.h>
#include <dos.h>

/////////////////////////
//
// include ems memory
// management header
// files

#include "gdefs.h"
#include "ems.h"

/////////////////////////
// begin program


void main()
{
    WORD    i;

    WORD    handle1;
    WORD    handle2;
    WORD    handle3;
```

```
WORD    numHandles;

EMS_HandleNameInfo
                    *handleNameArray;

//
//  First check for presence of EMS
//
if (!ems_present()) {
    printf("EMS is not present\n");
    return;
    }

//
//   Allocate some handles and name them:
//
if (ems_allocEM(1, &handle1)) {
    ems_demoError("ems_allocEM");
    }
if (ems_allocEM(1, &handle2)) {
    ems_demoError("ems_allocEM");
    }
if (ems_allocEM(1, &handle3)) {
    ems_demoError("ems_allocEM");
    }
if (ems_setHandleName40(handle1, "Larry")) {
    ems_demoError("ems_setHandleName40");
    }
if (ems_setHandleName40(handle2, "Moe")) {
    ems_demoError("ems_setHandleName40");
    }
if (ems_setHandleName40(handle3, "Curly")) {
    ems_demoError("ems_setHandleName40");
    }

//
//   Allocate space for the names.
//
if (ems_getNumActiveHandles(&numHandles)) {
    ems_demoError("ems_getNumActiveHandles");
    }

handleNameArray= (EMS_HandleNameInfo *)
                    malloc(sizeof(EMS_HandleNameInfo) * numHandles);

//
//  Get the names for the handles.
//
if (ems_getAllHandleNames40(handleNameArray)) {
    ems_demoError("ems_getAllHandleNames40");
    }

//
//  Now print the info out:
//
printf("|==Handle==|====Name====|\n");

for (i= 0; i < numHandles; i++) {
```

```
            printf("|   %4d   |  %-8.8s   |\n",
                    handleNameArray[i].handle,
                    handleNameArray[i].name);

        if (i < numHandles-1) {
            printf("|----------|------------|\n");
            }
        }
    printf("|==========|============|\n");

    if (ems_freeEM(handle1)) {
        ems_demoError("ems_freeEM");
        }
    if (ems_freeEM(handle2)) {
        ems_demoError("ems_freeEM");
        }
    if (ems_freeEM(handle3)) {
        ems_demoError("ems_freeEM");
        }

}
```

PROG4-5.C demonstrates the following feature:

- Resizing the handle.

Figure 4-5 presents the source code listing to PROG4-5.C.

**4-5**  The source code listing to PROG4-5.C.

```
///////////////////////////////////////
//
// prog4-5.c
//
//      Demonstrates
//          - Resize handle
//
///////////////////////////////////////

////////////////////////
// include standard
// I/O functions

#include <stdio.h>
#include <stdlib.h>
#include <dos.h>

/////////////////////////
//
// include ems memory
// management header
// files

#include "gdefs.h"
#include "ems.h"

////////////////////////
// begin program
```

```
extern void displayActiveHandles(void);
extern void pause(void);

void main()
{

    WORD    totalPages;
    WORD    freePages;
    WORD    handlel;

    //
    //   First check for presence of EMS
    //
    if (!ems_present()) {
        printf("EMS is not present\n");
        return;
        }

    //
    //   Now allocate 5 pages.
    //
    if (ems_allocEM(5, &handlel)) {
        ems_demoError("ems_allocEM");
        }

    //
    //   Set the name for the handle
    //
    if (ems_setHandleName40(handlel, "OurBlock")) {
        ems_demoError("ems_setHandleName40");
        }

    //
    //   Get the number of free pages
    //
    if (ems_getFreeEM(&totalPages, &freePages)) {
        ems_demoError("ems_getFreeEM");
        }

    //
    //   Print header:
    //
    printf("       Operation          Avail Pages      Active Handles\n");
    printf("=========================|=============|=============================|\n");
    printf("After 5 page allocate    |    %3d      | Handle   Pages    Name      |\n",
                freePages);

    displayActiveHandles();
    pause();

    //
    //   Now resize the block:
    //
    if (ems_reallocHandPages40(handlel, 8)) {
        ems_demoError("ems_reallocHandPages40");
        }

    //
    //   Get the number of free pages
```

```c
    //
    if (ems_getFreeEM(&totalPages, &freePages)) {
        ems_demoError("ems_getFreeEM");
        }

    //
    //  Print header:
    //
    printf("        Operation           Avail Pages        Active Handles\n");
    printf("=======================|=============|===========================|\n");
    printf("After Resize of handle |     %3d     | Handle   Pages     Name   |\n",
                freePages);

    displayActiveHandles();

    if (ems_freeEM(handle1)) {
        ems_demoError("ems_freeEM");
        }
}

void displayActiveHandles()
{

    EMS_HandleInfo      *handleInfoArray;

    WORD                numActiveHandles;
    WORD                numActiveHandles2;

    WORD                i;

    char                nameBuff[8];

    //
    //  First find out how many active handles there are:
    //
    if (ems_getNumActiveHandles(&numActiveHandles)) {
        ems_demoError("ems_getNumActiveHandles");
        }

    //
    //  Now allocate a block of handleInfo packets big enough to
    //  hold them.
    //
    handleInfoArray= (EMS_HandleInfo *)
                        malloc(numActiveHandles * sizeof(EMS_HandleInfo));

    //
    //  Now get the info.
    //
    if (ems_getPagesAllHandles(handleInfoArray, &numActiveHandles2)) {
        ems_demoError("ems_getNumActiveHandles");
        }

    //
    //  The following is a brief sanity clause (Everybody knows
    //  there ain't no sanity clause).
    //
    if (numActiveHandles2 != numActiveHandles) {
        printf("A most unusual situation has occured...\n");
        exit(0);
        }
```

```
//
//  Finally, display it.
//
printf("                               |-------------|--------|-------|----------|\n");

    for (i= 0; i < numActiveHandles; i++) {

        if (ems_getHandleName40(handleInfoArray[i].handle, nameBuff)) {
            ems_demoError("ems_getHandleName40");
            }

        printf(
               "                         |  %3d  |  %3d  | %-8.8s |\n",
            handleInfoArray[i].handle,
            handleInfoArray[i].numPages,
            nameBuff);

        if (i+1 < numActiveHandles) {
            printf(
                   "                         |--------|-------|----------|\n");
            }
        }
    printf("=====================================|========|=======|==========|\n");

//
//  Now free up the arrays.
//
free(handleInfoArray);

}

void pause()

{

//
//  Display a little message:
//
printf("Hit <CR> to continue...");
fflush(stdout);

//
//  Wait for a <CR>
//
while (getchar() != '\n') {
    }

}
```

PROG4-6.C demonstrates the following features:

- Mapping multiple pages by segment number.
- Saving and restoring the partial map.
- Mapping pages in low memory (below 640K).

Figure 4-6 presents the source code listing to PROG4-6.C.

**4-6** The source code listing to PROG4-6.C.

```
/////////////////////////////////////
//
// prog4-6.c
//
//      Demonstrates
//            - Map multiple pages by #/segment
//            - Save/restore partial map
//            - Mapping pages in lower 640K
//
/////////////////////////////////////

/////////////////////////
// include standard
// I/O functions

#include <stdio.h>
#include <stdlib.h>
#include <dos.h>
#include <string.h>

/////////////////////////
//
// include ems memory
// management header
// files

#include "gdefs.h"
#include "ems.h"

/////////////////////////
// begin program


void main()
{

    WORD                i;

    WORD                numMappablePages;
    WORD                numAvailableFrames;

    char                *frame[6];

    EMS_PageFrame       pfa;
    EMS_MappablePagesInfo
                        *pageAddress;
    EMS_MappablePagesInfo
                        *availableFrame;

    EMS_MapByNumber     mapByNumber[6];
    EMS_MapByAddress    mapByAddress[6];

    char                *restOfMem;
    long                memLeft;

    WORD                mapPageList[7];
    WORD                mapSize;
    void                *mapSave1;
    void                *mapSave2;
```

```
WORD                    handle;


//
//  First check for presence of EMS
//
if (!ems_present()) {
    printf("EMS is not present\n");
    return;
    }


//
//  Now get the Page Frame Address:
//
if (ems_getPFA(&pfa)) {
    ems_demoError("ems_getPFA");
    }


//
//  We'll want a dozen pages of EMS, so allocate them now.
//
if (ems_allocEM(12, &handle)) {
    ems_demoError("ems_allocEM");
    }


//
//  Find out how many mappable pages we have all together. In
//  4.0, we do not have a fixed size page frame, we may have
//  many more than 4 mappable pages.
//
if (ems_getNumMappable40(&numMappablePages)) {
    ems_demoError("ems_getNumMappable40");
    }


//
//  Now allocate a buffer big enough to hold the addresses
//  of these pages.
//
pageAddress= (EMS_MappablePagesInfo *)
    malloc(sizeof(EMS_MappablePagesInfo) * numMappablePages);
availableFrame= (EMS_MappablePagesInfo *)
    malloc(sizeof(EMS_MappablePagesInfo) * numMappablePages);


//
//  Get the info
//
if (ems_getAddrsMappable40(pageAddress, &numMappablePages)) {
    ems_demoError("ems_getAddrsMappable40");
    }


//
//  We now allocate half of memory in order to control
//  some of the remappable pages.
//
memLeft= 327680L;
restOfMem= farmalloc(memLeft);
if (restOfMem == NULL) {
    printf("Unable to allocate conventional memory\n");
```

```
        return;
        }

    //
    //  Record the mappable pages which fall inside the bounds of
    //  our memory block OR are part of the standard (3.0) page
    //  frame area. Keep count of how many mappable pages
    //  we have in total.
    //
    numAvailableFrames= 0;
    for (i= 0; i < numMappablePages; i++) {
        if (SegToPhys(pageAddress[i].pageSegment) >= SegOffToPhys(restOfMem)
                && SegToPhys(pageAddress[i].pageSegment) + EMS_STD_PAGE_SIZE <=
                    SegOffToPhys(restOfMem) + memLeft
            || SegToPhys(pageAddress[i].pageSegment) >= SegOffToPhys(pfa[0])
                && SegToPhys(pageAddress[i].pageSegment) + EMS_STD_PAGE_SIZE <=
                    SegOffToPhys(pfa[3]) + EMS_STD_PAGE_SIZE) {
            availableFrame[numAvailableFrames].physNumber=
                pageAddress[i].physNumber;
            availableFrame[numAvailableFrames].pageSegment=
                pageAddress[i].pageSegment;
            numAvailableFrames++;
            }
        }

    //
    //  We will be using 6 page frames. Make sure we have enough.
    //
    if (numAvailableFrames < 6) {
        printf("Insufficient number of available remappable pages\n");
        return;
        }

    //
    //  We'll be working with the first six available page frames.
    //  Let's create an array which will allow us to easily
    //  access them.
    //
    //  At the same time, set up the map list for saving the state.
    //
    for (i= 0; i < 6; i++) {
        frame[i]= MK_FP(availableFrame[i].pageSegment, 0);
        mapPageList[i+1]= availableFrame[i].pageSegment;
        }
    mapPageList[0]= 6;

    //
    //  Let's put some text into the area.
    //
    strcpy(&frame[0][123], "CM:      In perpetrating a revolution there are two\n");
    strcpy(&frame[1][456], "CM:      requirements: someone or something to revolt\n");
    strcpy(&frame[2][789], "CM:      against and someone to actually show up and\n");
    strcpy(&frame[3][12],  "CM:   do the revolting. Dress is usually casual\n");
    strcpy(&frame[4][345], "CM:\n");
    strcpy(&frame[5][678], "CM:                          -- Woody Allen\n\n");

    //
    //  Let's the current state of these pages. Note that since
    //  they (with the exception of those in the standard PFA), are
    //  in the conventional memory area, they already have pages mapped
```

```
//  to them.
//
if (ems_getPMapInfoSize40(6, &mapSize)) {
    ems_demoError("ems_getPMapInfoSize");
    }

mapSave1= malloc(mapSize);
mapSave2= malloc(mapSize);

if (ems_savePartialMap40(mapPageList, mapSave1)) {
    ems_demoError("ems_savePartialMap40");
    }

//
//  Now that we've saved the current state, let's map some
//  new pages in. We'll do it by number here.
//
for (i= 0; i < 6; i++) {
    mapByNumber[i].logicalPage= i;
    mapByNumber[i].physicalPage= availableFrame[i].physNumber;
    }

if (ems_mapPagesByNum40(handle, 6, mapByNumber)) {
    ems_demoError("ems_mapPagesByNum40");
    }

//
//  Now let's put some new text in:
//
strcpy(&frame[0][123],
    "EMA:    Someone did a study of the three most-often-heard phrases\n");
strcpy(&frame[1][456],
    "EMA:    in New York City. One is \"Hey taxi.\" Two is \"What train\n");
strcpy(&frame[2][789],
    "EMA:    do I take to get to Bloomingdales?\" And three is \"Don't\n");
strcpy(&frame[3][12],
    "EMA:    worry, it's only a flesh wound.\"\n");
strcpy(&frame[4][345], "EMA:\n");
strcpy(&frame[5][678], "EMA:                            -- David Letterman\n\n");

//
//  Let's save this map.
//
if (ems_savePartialMap40(mapPageList, mapSave2)) {
    ems_demoError("ems_savePartialMap40");
    }

//
//  Now let's map a third set of pages, this time by segment
//
for (i= 0; i < 6; i++) {
    mapByAddress[i].logicalPage= 6 + i;
    mapByAddress[i].physicalSeg= availableFrame[i].pageSegment;
    }

if (ems_mapPagesByAddr40(handle, 6, mapByAddress)) {
    ems_demoError("ems_mapPagesByAddr40");
    }
```

```c
//
//  Put some text in
//
strcpy(&frame[0][123],
    "EMB:    I grew up to have my father's looks, my father's\n");
strcpy(&frame[1][456],
    "EMB:    speech patterns, my father's posture, my father's\n");
strcpy(&frame[2][789],
    "EMB:    walk, my father's opinions and my mother's contempt\n");
strcpy(&frame[3][12], "EMB:    for my father.\n");
strcpy(&frame[4][345], "EMB:\n");
strcpy(&frame[5][678], "EMB:                        -- Jules Feiffer\n\n");

//
//  Now let's print out the stuff in the newest map.
//
printf("%s", &frame[0][123]);
printf("%s", &frame[1][456]);
printf("%s", &frame[2][789]);
printf("%s", &frame[3][12]);
printf("%s", &frame[4][345]);
printf("%s", &frame[5][678]);

//
//  Let's restore the second map and print the contents.
//
if (ems_restPartialMap40(mapSave2)) {
    ems_demoError("ems_restPartialMap40");
    }

printf("%s", &frame[0][123]);
printf("%s", &frame[1][456]);
printf("%s", &frame[2][789]);
printf("%s", &frame[3][12]);
printf("%s", &frame[4][345]);
printf("%s", &frame[5][678]);

//
//  And finally, let's restore the original map (the conventional
//  memory pages), and print the contents.
//
if (ems_restPartialMap40(mapSave1)) {
    ems_demoError("ems_restPartialMap40");
    }

printf("%s", &frame[0][123]);
printf("%s", &frame[1][456]);
printf("%s", &frame[2][789]);
printf("%s", &frame[3][12]);
printf("%s", &frame[4][345]);
printf("%s", &frame[5][678]);

//
//  Now we free that which must be freed.
//
farfree(restOfMem);

if (ems_freeEM(handle)) {
    ems_demoError("ems_freeEM");
    }
```

PROG4-7.C demonstrates the following feature:

- Moving memory between low memory and EMS.

Figure 4-7 presents the source code listing to PROG4-7.C.

Now that we have presented the source code for the EMS 4.0 demonstration programs, it's time to present the assembly-generated C interface functions.

**4-7**   The source code listing to PROG4-7.C.

```
/////////////////////////////////////
//
// prog4-7.c
//
//      Demonstrates
//             - Xfer to/from EMS and Conventional memory
//
/////////////////////////////////////

/////////////////////////
// include standard
// I/O functions

#include <stdio.h>
#include <stdlib.h>
#include <dos.h>
#include <string.h>

/////////////////////////
//
// include ems memory
// management header
// files

#include "gdefs.h"
#include "ems.h"

/////////////////////////
// begin program


void main()
{

    WORD                 handle1;
    WORD                 handle2;
    WORD                 handle3;
    WORD                 handle4;

    EMS_MoveMemoryInfo   movePacket;
    char                 *text;

    char                 buff[72];


    //
    // First check for presence of EMS
```

```
//
if (!ems_present()) {
    printf("EMS is not present\n");
    return;
    }

//
//  Allocate some EMS pages
//
if (ems_allocEM(1, &handle1)) {
    ems_demoError("ems_allocEM");
    }
if (ems_allocEM(1, &handle2)) {
    ems_demoError("ems_allocEM");
    }
if (ems_allocEM(1, &handle3)) {
    ems_demoError("ems_allocEM");
    }
if (ems_allocEM(1, &handle4)) {
    ems_demoError("ems_allocEM");
    }

//
//  Now let's copy some text into various places in the
//  EM blocks, and then copy it back and print it out.
//


//
//  Set up a pointer to a string:
//
text= "       Every year when it's Chinese New Year Here in New York,\n";

//
//  Set up the move packet. Note that we round the length
//  up to an even number. The call requires an even length
//  transfer.
//
movePacket.length= strlen(text)+1;   // +1 for terminator
movePacket.srcType= EMS_MOVE_CONV;   // Conventional
movePacket.srcHandle= 0;             // indicates real memory
movePacket.srcOffset= FP_OFF(text);  // actual offset
movePacket.srcPage= FP_SEG(text);    // actual segment
movePacket.destType= EMS_MOVE_EMS;   // EMS
movePacket.destHandle= handle1;      // 1st 1K block
movePacket.destOffset= 42;           // A random offset into block
movePacket.destPage= 0;              // page zero

//
//  Do the actual EMS call:
//
if (ems_moveMemRegion40(&movePacket)) {
    ems_demoError("ems_moveMemRegion40");
    exit(1);
    }

//
//  Now put the next string into the next EM block:
//
text= "       there are fireworks going off at all hours. New York mothers\n";
```

```
movePacket.length= strlen(text)+1;    // +1 for terminator
movePacket.srcType= EMS_MOVE_CONV;    // Conventional
movePacket.srcHandle= 0;              // indicates real memory
movePacket.srcOffset= FP_OFF(text);   // actual offset
movePacket.srcPage= FP_SEG(text);     // actual segment
movePacket.destType= EMS_MOVE_EMS;    // EMS
movePacket.destHandle= handle2;       // 1st 1K block
movePacket.destOffset= 911;           // A random offset into block
movePacket.destPage= 0;               // page zero

if (ems_moveMemRegion40(&movePacket)) {
    ems_demoError("ems_moveMemRegion40");
    exit(1);
    }

//
//   And something for the the third block:
//
text= "     calm their frightened children by telling them it's just gunfire\n\n";

movePacket.length= strlen(text)+1;    // +1 for terminator
movePacket.srcType= EMS_MOVE_CONV;    // Conventional
movePacket.srcHandle= 0;              // indicates real memory
movePacket.srcOffset= FP_OFF(text);   // actual offset
movePacket.srcPage= FP_SEG(text);     // actual segment
movePacket.destType= EMS_MOVE_EMS;    // EMS
movePacket.destHandle= handle3;       // 1st 1K block
movePacket.destOffset= 800;           // A random offset into block
movePacket.destPage= 0;               // page zero

if (ems_moveMemRegion40(&movePacket)) {
    ems_demoError("ems_moveMemRegion40");
    exit(1);
    }

//
//   Now the fourth and last block:
//
text= "                    -- David Letterman\n\n";

movePacket.length= strlen(text)+1;    // +1 for terminator
movePacket.srcType= EMS_MOVE_CONV;    // Conventional
movePacket.srcHandle= 0;              // indicates real memory
movePacket.srcOffset= FP_OFF(text);   // actual offset
movePacket.srcPage= FP_SEG(text);     // actual segment
movePacket.destType= EMS_MOVE_EMS;    // EMS
movePacket.destHandle= handle4;       // 1st 1K block
movePacket.destOffset= 212;           // A random offset into block
movePacket.destPage= 0;               // page zero

if (ems_moveMemRegion40(&movePacket)) {
    ems_demoError("ems_moveMemRegion40");
    exit(1);
    }

//
//   Now we've copies four strings into EMS blocks.
//       Block 1 at offset 42,
```

```
//        Block 2 at offset 911,
//        Block 3 at offset 800,
//        Block 4 at offset 212.
//
//   Now let's retrieve them and print them out.
//
movePacket.length= 72;                  // +1 for terminator
movePacket.srcType= EMS_MOVE_EMS;       // EMS
movePacket.srcHandle= handle1;          // First handle
movePacket.srcOffset= 42;               // A random offset into block
movePacket.srcPage= 0;                  // page zero
movePacket.destType= EMS_MOVE_CONV;     // Conventional memory
movePacket.destHandle= 0;               // Conventional memory
movePacket.destOffset= FP_OFF(buff);    // actual offset
movePacket.destPage= FP_SEG(buff);      // actual segment

if (ems_moveMemRegion40(&movePacket)) {
    ems_demoError("ems_moveMemRegion40");
    exit(1);
    }

printf("%s", buff);


//
//   Now pick up the second piece:
//
movePacket.length= 72;                  // +1 for terminator
movePacket.srcType= EMS_MOVE_EMS;       // EMS
movePacket.srcHandle= handle2;          // First handle
movePacket.srcOffset= 911;              // A random offset into block
movePacket.srcPage= 0;                  // page zero
movePacket.destType= EMS_MOVE_CONV;     // Conventional memory
movePacket.destHandle= 0;               // Conventional memory
movePacket.destOffset= FP_OFF(buff);    // actual offset
movePacket.destPage= FP_SEG(buff);      // actual segment

if (ems_moveMemRegion40(&movePacket)) {
    ems_demoError("ems_moveMemRegion40");
    exit(1);
    }

printf("%s", buff);


//
//   Now pick up the third piece:
//
movePacket.length= 72;                  // +1 for terminator
movePacket.srcType= EMS_MOVE_EMS;       // EMS
movePacket.srcHandle= handle3;          // Third handle
movePacket.srcOffset= 800;              // A random offset into block
movePacket.srcPage= 0;                  // page zero
movePacket.destType= EMS_MOVE_CONV;     // Conventional memory
movePacket.destHandle= 0;               // Conventional memory
movePacket.destOffset= FP_OFF(buff);    // actual offset
movePacket.destPage= FP_SEG(buff);      // actual segment

if (ems_moveMemRegion40(&movePacket)) {
    ems_demoError("ems_moveMemRegion40");
    exit(1);
    }
```

```
    printf("%s", buff);

    //
    //  Now pick up the fourth piece:
    //
    movePacket.length= 72;              // +1 for terminator
    movePacket.srcType= EMS_MOVE_EMS;   // EMS
    movePacket.srcHandle= handle4;      // First handle
    movePacket.srcOffset= 212;          // A random offset into block
    movePacket.srcPage= 0;              // page zero
    movePacket.destType= EMS_MOVE_CONV; // Conventional memory
    movePacket.destHandle= 0;           // Conventional memory
    movePacket.destOffset= FP_OFF(buff);// actual offset
    movePacket.destPage= FP_SEG(buff);  // actual segment

    if (ems_moveMemRegion40(&movePacket)) {
        ems_demoError("ems_moveMemRegion40");
        exit(1);
        }

    printf("%s", buff);

    //
    //  Free up the blocks of memory.
    //
    if (ems_freeEM(handle1)) {
        ems_demoError("ems_freeEM");
        }
    if (ems_freeEM(handle2)) {
        ems_demoError("ems_freeEM");
        }
    if (ems_freeEM(handle3)) {
        ems_demoError("ems_freeEM");
        }
    if (ems_freeEM(handle4)) {
        ems_demoError("ems_freeEM");
        }

}
```

# C interface functions

## Saving a partial page map

Figure 4-8 presents the source code listing to EMS4F0.ASM.

The ems_savePartialMap40(...) function saves the state of the expanded page mapping registers into a designated buffer.

### Function ems_savePartialMap40(...)

status = ems_savePartialMap40(WORD *map, void *buffer);

where

map     Points to map list.
buffer  Receives the register state information.

**4-8** The source code listing to EMS4F0.ASM.

```
;******************************************************************
;***      EMS4F0.ASM                                          ***
;***                                                           ***
;***      int far ems_savePartialMap40(WORD *map,             ***
;***                                   WORD *buffer);         ***
;***                                                           ***
;***      Saves the state of a subset of expanded mem page    ***
;***      mapping in buffer                                   ***
;***                                                           ***
;***      Returns 0 if no error or an error code.             ***
;***                                                           ***
;***                                                           ***
;***                                                           ***
;***      (Ems Version 4.0)                                   ***
;******************************************************************

        .model  large,C

        include emsdefs.asm

        extrn   errno:WORD


;
;   Define entry point
;
        public  ems_savePartialMap40

        .code

ems_savePartialMap40 proc    map:Far Ptr Word, buffer:Far Ptr Word

        push    ds                  ; Save some reg
        push    si
        push    di


;
;   DS:SI needs a list of segment addresses of pages fo
;   to save the mapping state.
;
        lds     si,map


;
;   ES:DI gets the address of the buffer to save the in
;
        les     di,buffer

        mov     ax,SavePartialMap40    ; Do the call
        int     Ems

        or      ah,ah               ; Set flags
        jnz     error

        xor     ax,ax               ; Return OK

        pop     di                  ; Restore regs
        pop     si
        pop     ds
        ret
```

```
error:
        pop     di                      ; Restore regs
        pop     si
        pop     ds

        mov     al,ah                   ; Transfer return code
        xor     ah,ah                   ; Zero extend
        mov     errno,ax                ; Save in errno too
        ret

ems_savePartialMap40 endp               ; End of procedure

        end                             ; End of source file
```

## Restoring a partial page map

Figure 4-9 presents the source code listing to EMS4F1.ASM.

The ems_restPartialMap40(...) function restores the state of the previously saved expanded page mapping registers.

### Function ems_restPartialMap40(...)

status = ems_restPartialMap40(void *buffer);

where

buffer   Holds the register state information.

**4-9**   The source code listing to EMS4F1.ASM.

```
;****************************************************************
;***                                                        ***
;***    EMS4F1.ASM                                          ***
;***                                                        ***
;***    int far ems_restPartialMap40(WORD *buffer);         ***
;***                                                        ***
;***    Restores the state of a subset of expanded mem page ***
;***    mapping from buffer                                 ***
;***                                                        ***
;***    Returns 0 if no error or an error code.             ***
;***                                                        ***
;***                                                        ***
;***    (Ems Version 4.0)                                   ***
;****************************************************************

        .model  large,C

        include emsdefs.asm

        extrn   errno:WORD

;
;   Define entry point
;
        public  ems_restPartialMap40

        .code
```

```
ems_restPartialMap40 proc     buffer:Far Ptr Word

        push    ds                      ; Save registers
        push    si

        lds     si,buffer               ; DS:SI gets buffer address

        mov     ax,RestPartialMap40     ; Make EMS call
        int     Ems

        or      ah,ah                   ; Set flags
        jnz     error

        xor     ax,ax                   ; return OK

        pop     si                      ; Restore regs
        pop     ds
        ret

error:
        pop     si                      ; Restore regs
        pop     ds

        mov     al,ah                   ; AL gets error code
        xor     ah,ah                   ; Zero extend
        mov     errno,ax                ; Save in errno too

        ret

ems_restPartialMap40 endp               ; End of procedure

        end                             ; End of source file
```

## Getting the size of partial page map information

Figure 4-10 presents the source code listing to EMS4F2.ASM.

The ems_getPMapInfoSize40(...) function returns the required size of the buffer that holds the page map register state information.

### Function ems_getPMapInfoSize40(...)

status = ems_getPMapInfoSize40(WORD pages, WORD *size);

where

pages   The number of physical pages for which state is to be saved.

size    Receives the required size of the buffer.

**4-10**  The source code listing to EMS4F2.ASM.
```
;****************************************************************
;***    EMS4F2.ASM                                          ***
;***                                                        ***
;***    int far ems_getPMapInfoSize40(WORD pages,           ***
;***                             WORD *size);               ***
;***                                                        ***
;***    Pointer gets size of partial page map buffer in     ***
;***    bytes.                                              ***
```

**4-10** Continued.

```
;***                                                      ***
;***      Returns 0 if no error or an error code.         ***
;***                                                      ***
;***                                                      ***
;***      (Ems Version 4.0)                               ***
;****************************************************

          .model  large,C

          include emsdefs.asm

          extrn   errno:WORD

;
;   Define entry point
;
          public  ems_getPMapInfoSize40

          .code

ems_getPMapInfoSize40 proc pages:Word, buffSize:Far Ptr Word

          mov     bx,pages              ; BX gets number of pages

          mov     ax,GetPMapInfoSize40  ; Make the EMS call
          int     Ems

          or      ah,ah                 ; Set flags
          jnz     error

          xor     ah,ah                 ; Zero extend size in AL
          les     bx,buffSize           ; Return it
          mov     es:[bx],ax

          xor     ax,ax                 ; Return OK
          ret
error:
          mov     al,ah                 ; AL gets error code
          xor     ah,ah                 ; Zero extend
          mov     errno,ax              ; Save in errno too
          ret

ems_getPMapInfoSize40 endp              ; End of procedure

          end                           ; End of source file
```

## Mapping multiple pages by number

Figure 4-11 presents the source code listing to EMS500.ASM.

The ems_mapPagesByNum40(...) function maps more than one logical page to a page in the EMS page frame by number.

### Function ems_mapPagesByNum40(...)

status = ems_mapPagesByNum40(WORD handle, WORD pages,
                             EMS_MapByNumber *buffer);

where

handle   The EMS handle.

pages   The number of pages to map.

buffer   Points to a table of 32-bit entries giving the logical and physical pages to be mapped (see EMS.H, FIG. 3-6 for EMS_Map ByNumber structure).

**4-11** The source code listing to EMS500.ASM.

```
;****************************************************************
;***      EMS500.ASM                                        ***
;***                                                        ***
;***      int far ems_mapPagesByNum40(WORD handle,          ***
;***                                  WORD pages,           ***
;***                                  DWORD *buffer);       ***
;***                                                        ***
;***      Fill buffer with 32 bit entries which control pages ***
;***      to be mapped by page number                       ***
;***                                                        ***
;***      Returns 0 if no error or an error code.           ***
;***                                                        ***
;***                                                        ***
;***                                                        ***
;***      (Ems Version 4.0)                                 ***
;****************************************************************

         .model  large,C

         include emsdefs.asm

         extrn   errno:WORD

;
;   Define entry point
;
         public  ems_mapPagesByNum40

         .code

ems_mapPagesByNum40 proc handle:Word, num:Word, buffer:Far Ptr Word

         push    ds                   ; Save regs
         push    si

         mov     dx,handle            ; EMS handle
         mov     cx,num               ; Number of pages to map

         lds     si,buffer            ; Map info buffer

         mov     ax,MapPagesByNum40   ; Make the EMS call
         int     Ems

         or      ah,ah                ; Set flags
         jnz     error

         xor     ax,ax                ; return OK

         pop     si                   ; Restore regs
```

```
        pop     ds
        ret

error:
        pop     si                  ; Restore regs
        pop     ds

        mov     al,ah               ; AL get error code
        xor     ah,ah               ; Zero extend
        mov     errno,ax            ; Save in errno too
        ret

ems_mapPagesByNum40 endp            ; End of procedure

        end                         ; End of source file
```

## Mapping multiple pages by address

Figure 4-12 presents the source code listing to EMS501.ASM.

The ems_mapPagesByAddr40(...) function maps more than one logical page to a page in the EMS page frame by address.

### Function ems_mapPagesByAddr40(...)

status = ems_mapPagesByAddr40(WORD handle, WORD pages,
                        EMS_MapByAddress *buffer);

where

handle   The EMS handle.
pages    The number of pages to map.
buffer   Points to a table of 32-bit entries giving logical and physical
         segment addresses (see EMS.H, FIG. 3-6 for EMS_MapByAddress
         structure).

4-12   The source code listing to EMS501.ASM.

```
;****************************************************************
;***      EMS501.ASM                                        ***
;***                                                        ***
;***      int far ems_mapPagesByAddr )(WORD handle,         ***
;***                                 WORD pages,            ***
;***                                 DWORD *buffer);        ***
;***                                                        ***
;***      Fill buffer with 32 bit entries which control pages ***
;***      to be mapped by segment address                   ***
;***                                                        ***
;***      Returns 0 if no error or an error code.           ***
;***                                                        ***
;***                                                        ***
;***                                                        ***
;***      (Ems Version 4.0)                                 ***
;****************************************************************

        .model  large,C

        include emsdefs.asm
```

```
        extrn    errno:WORD
;
;    Define entry point
;
        public   ems_mapPagesByAddr40

        .code

ems_mapPagesByAddr40 proc handle:Word, num:Word, buffer:Far Ptr Word

        push     ds                      ; Save regs
        push     si

        mov      dx,handle               ; EMS handle
        mov      cx,num                  ; Number of pages to map
        lds      si,buffer               ; Mapping info

        mov      ax,MapPagesByAddr40     ; Make the EMS call
        int      Ems

        or       ah,ah                   ; Set flags
        jnz      error

        xor      ax,ax                   ; Return OK

        pop      si                      ; Restore regs
        pop      ds
        ret

error:
        pop      si
        pop      ds

        mov      al,ah                   ; AL get error code
        xor      ah,ah                   ; Zero extend
        mov      errno,ax                ; Save in errno too

        ret

ems_mapPagesByAddr40 endp                ; End of procedure

        end                             ; End of source file
```

## Reallocating pages for handle

Figure 4-13 presents the source code listing to EMS51.ASM.

The function ems_reallocHandlePages40(...) alters the number of pages allocated to a specified handle.

### Function ems_reallocHandlePages40(...)

status = ems_reallocHandlePages40(WORD handle, WORD pages);

where

    handle    Associated with specified pages.
    pages    The new handle page count.

**4-13** The source code listing to EMS51.ASM.

```
;****************************************************************
;***      EMS51.ASM                                      ***
;***                                                     ***
;***      int far ems_reallocHandPages40(WORD handle,    ***
;***                                 WORD pages);         ***
;***                                                     ***
;***      Reallocates number of pages to EMM handle      ***
;***                                                     ***
;***      Returns 0 if no error or an error code.        ***
;***                                                     ***
;***                                                     ***
;***                                                     ***
;***      (Ems Version 4.0)                              ***
;****************************************************************

          .model   large,C

          include emsdefs.asm

          extrn    errno:WORD

;
;    Define entry point
;
          public   ems_reallocHandPages40

          .code

ems_reallocHandPages40 proc handle:Word, num:Word

          mov      dx,handle                ; EMS handle
          mov      bx,num                   ; New page count

          mov      ax,ReallocHandPages40    ; Make the call
          int      Ems

          or       ah,ah                    ; Set flags
          jnz      error

          xor      ax,ax                    ; Return OK
          ret

error:
          mov      al,ah                    ; AL get error code
          xor      ah,ah                    ; Zero extend
          mov      errno,ax                 ; Save in errno too
          ret

ems_reallocHandPages40 endp               ; End of procedure

          end                              ; End of source file
```

## Getting handle attribute

Figure 4-14 presents the source code listing to EMS520.ASM.

The function ems_getHandleAttr40(...) retrieves the attribute associated with a specified handle.

**4-14** The source code listing to EMS520.ASM.

```
;*****************************************************************
;***        EMS520.ASM                                        ***
;***                                                          ***
;***        int far ems_getHandleAttr40(WORD handle,          ***
;***                                WORD *attribute);         ***
;***                                                          ***
;***        Get volatile (0) or non-volatile (1) attribute    ***
;***        associated with the handle.                       ***
;***                                                          ***
;***        Returns 0 if no error or an error code.           ***
;***                                                          ***
;***                                                          ***
;***                                                          ***
;***        (Ems Version 4.0)                                 ***
;*****************************************************************

        .model  large,C

        include emsdefs.asm

        extrn   errno:WORD


;
;   Define entry point
;
        public  ems_getHandleAttr40

        .code

ems_getHandleAttr40 proc handle:Word, attr:Far Ptr Word

        mov     dx,handle               ; DX gets EMS handle

        mov     ax,GetHandleAttr40      ; Do call
        int     Ems

        or      ah,ah                   ; Set flags
        jnz     error

        xor     ah,ah                   ; Zero extend attr to 16 bits
        les     bx,attr                 ; Return attribute
        mov     es:[bx],ax

        xor     ax,ax                   ; return OK
        ret

error:
        mov     al,ah                   ; AL get error code
        xor     ah,ah                   ; Zero extend
        mov     errno,ax                ; Save in errno too
        ret

ems_getHandleAttr40 endp                ; End of procedure

        end                             ; End of source file
```

Function ems__getHandleAttr40(WORD handle, WORD *attr);

where

handle     The specified handle.

attr        Receives a 1 if nonvolatile (ems data held on warm boot) or a 0 if volatile (ems data destroyed on warm boot).

## Setting handle attribute

Figure 4-15 presents the source code listing to EMS521.ASM.

The function ems__setHandleAttr40(...) sets the attribute associated with a specified handle.

Function ems__setHandleAttr40(WORD handle, WORD attr);

where

handle     The specified handle.

attr        Sets a 1 if nonvolatile (ems data held on warm boot) or a 0 if volatile (ems data destroyed on warm boot).

**4-15**    The source code listing to EMS521.ASM.

```
;****************************************************************
;***     EMS521.ASM                                       ***
;***                                                      ***
;***     int far ems_setHandleAttr40(WORD handle,         ***
;***                         WORD attribute);             ***
;***                                                      ***
;***     Set volatile (0) or non-volatile (1) attribute   ***
;***     associated with the handle.                      ***
;***                                                      ***
;***     Returns 0 if no error or an error code.          ***
;***                                                      ***
;***                                                      ***
;***                                                      ***
;***     (Ems Version 4.0)                                ***
;****************************************************************

        .model  large,C

        include emsdefs.asm

        extrn   errno:WORD

;
;   Define entry point
;
        public  ems_setHandleAttr40

        .code

ems_setHandleAttr40 proc handle:Word, attr:Word

        mov     dx,handle               ; DX gets EMS handle
        mov     bx,attr                 ; BL gets attribute
```

```
        mov     ax,SetHandleAttr40      ; Make EMS call
        int     Ems

        or      ah,ah                   ; Set flags
        jnz     error

        xor     ax,ax                   ; Return OK
        ret

error:
        mov     al,ah                   ; AL gets error code
        xor     ah,ah                   ; Zero extend
        mov     errno,ax                ; Save in errno too
        ret

ems_setHandleAttr40 endp                ; End of procedure

        end                             ; End of source file
```

## Getting attribute capabilities

Figure 4-16 presents the source code listing to EMS522.ASM.

The function ems__getAttrCapability40(...) retrieves a code that indicates the EMM's capability of supporting nonvolatile EMS data.

Function ems__getAttrCapability40(WORD *capability);

where

capability    Receives a 1 if nonvolatile (ems data held on warm boot) or a 0 if volatile (ems data destroyed on warm boot).

**4-16**  The source code listing to EMS522.ASM.
```
;****************************************************************
;***                                                        ***
;***     EMS522.ASM                                         ***
;***                                                        ***
;***     int far ems_setAttrCapability40(WORD *capability); ***
;***                                                        ***
;***     Gets EMM support status for handle volatility.     ***
;***        volatile (0) or non-volatile (1) attribute      ***
;***                                                        ***
;***     Returns 0 if no error or an error code.            ***
;***                                                        ***
;***                                                        ***
;***                                                        ***
;***     (Ems Version 4.0)                                  ***
;****************************************************************

        .model  large,C

        include emsdefs.asm

        extrn   errno:WORD

;
;   Define entry point
```

```
;
        public   ems_getAttrCapability40

        .code

ems_getAttrCapability40 proc attr:Far Ptr Word

        mov     ax,GetAttrCapability40   ; Make EMS call
        int     Ems

        or      ah,ah                    ; Set flags
        jnz     error

        xor     ah,ah                    ; Zero extend attr to 16 bits
        les     bx,attr                  ; Return it
        mov     es:[bx],ax

        xor     ax,ax                    ; Return OK
        ret

error:
        mov     al,ah                    ; AL gets error code
        xor     ah,ah                    ; Zero extend
        mov     errno,ax                 ; Save in errno too
        ret

ems_getAttrCapability40 endp             ; End of procedure

        end                              ; End of source file
```

## Getting handle name

Figure 4-17 presents the source code listing to EMS530.ASM.

The ems_getHandleName40(...) function returns the designated name of a specified handle.

### Function ems_getHandleName40(...)

status = ems_getHandleName40(WORD handle, char *name);

where

handle   May be associated with specified name.
name     Points to an 8-byte buffer where the name is copied to.

**4-17** The source code listing to EMS530.ASM.
```
;****************************************************************
;***     EMS530.ASM                                        ***
;***                                                       ***
;***     int far ems_getHandleName40(WORD handle,          ***
;***                         BYTE *handle_name);           ***
;***                                                       ***
;***     Fill 8 byte handle name buffer with handle name.  ***
;***                                                       ***
;***     Returns 0 if no error or an error code.           ***
```

```
;***                                                      ***
;***                                                      ***
;***                                                      ***
;***    (Ems Version 4.0)                                 ***
;**************************************************************
;
        .model  large,C

        include emsdefs.asm

        extrn   errno:WORD

;
;   Define entry point
;
        public  ems_getHandleName40

        .code

ems_getHandleName40 proc handle:Word, handle_name:Far Ptr Word

        push    di                      ; Save di

        mov     dx,handle               ; DX gets EMS handle
        les     di,handle_name          ; ES:DI gets name

        mov     ax,GetHandleName40      ; Make EMS call
        int     Ems

        or      ah,ah                   ; Set flags
        jnz     error

        xor     ax,ax                   ; Return OK
        pop     di
        ret

error:
        pop     di                      ; Restore DI

        mov     al,ah                   ; AL gets error code
        xor     ah,ah                   ; Zero extend
        mov     errno,ax                ; Save in errno too
        ret

ems_getHandleName40 endp                ; End of procedure

        end                             ; End of source file
```

## Setting handle name

Figure 4-18 presents the source code listing to EMS531.ASM.

The ems_setHandleName40(...) function sets the name of a specified handle.

### Function ems_setHandleName40(...)

status = ems_setHandleName40(WORD handle, char *name);

where

> handle   May be associated with specified name.
> name   Points to an 8-byte buffer where the name is copied to.

**4-18**   The source code listing to EMS531.ASM.

```
;*****************************************************************
;***      EMS531.ASM                                        ***
;***                                                        ***
;***      int far ems_setHandleName40(WORD handle,          ***
;***                            BYTE *handle_name);         ***
;***                                                        ***
;***      Set handle name buffer (bytes)                    ***
;***                                                        ***
;***      Returns 0 if no error or an error code.           ***
;***                                                        ***
;***                                                        ***
;***                                                        ***
;***      (Ems Version 4.0)                                 ***
;*****************************************************************

        .model  large,C

        include emsdefs.asm

        extrn   errno:WORD

;
;   Define entry point
;
        public  ems_setHandleName40

        .code

ems_setHandleName40 proc handle:Word, handle_name:Far Ptr Word

        push    ds                      ; Save regs
        push    si

        mov     dx,handle               ; DX gets the EMS handle
        lds     si,handle_name          ; DS:SI get handle name

        mov     ax,SetHandleName40      ; Make the EMS call
        int     Ems

        or      ah,ah                   ; Set flags
        jnz     error

        xor     ax,ax                   ; Return OK
        pop     si                      ; Restore regs
        pop     ds
        ret

error:
        pop     si                      ; Restore regs
        pop     ds

        mov     al,ah                   ; AL gets error code
        xor     ah,ah                   ; Zero extend
```

```
        mov     errno,ax            ; Save in errno too
        ret

ems_setHandleName40 endp            ; End of procedure

        end                         ; End of source file
```

## Getting all handle names

Figure 4-19 presents the source code listing to EMS540.ASM. Function
ems_getAllHandleNames40(...) returns a list of names for all the active han-
dles.

### Function ems_getAllHandleNames40(...)

status = ems_getAllHandleNames40(EMS_HandleNameInfo *info);

where

> info  Points to list of active handle names (see EMS.H, FIG. 3-6 for
> EMS_HandleNameInfo structure).

**4-19**  The source code listing to EMS540.ASM.

```
;*****************************************************************
;***     EMS540.ASM                                          ***
;***                                                         ***
;***     int far ems_getAllHandleNames40(                    ***
;***                 HandleNameInfo_type *name_list);        ***
;***                                                         ***
;***     Fill 8 byte handle names to 2550 MAX entries        ***
;***                                                         ***
;***     Returns 0 if no error or an error code.             ***
;***                                                         ***
;***                                                         ***
;***                                                         ***
;***     (Ems Version 4.0)                                   ***
;*****************************************************************

        .model  large,C

        include emsdefs.asm

        extrn   errno:WORD

;
;   Define entry point
;
        public  ems_getAllHandleNames40

        extrn   errno:WORD

        .code

ems_getAllHandleNames40 proc info_list:Far Ptr Byte

        push    di                  ; Save DI

        les     di,info_list        ; ES:DI gets address of buffer
```

```
        mov     ax,GetAllHandleNames40  ; Make the EMS call
        int     Ems

        or      ah,ah                   ; Set flags
        jnz     error

        xor     ax,ax                   ; Return OK
        pop     di                      ; Restore DI
        ret

error:
        pop     di                      ; Restore DI

        mov     al,ah                   ; AL gets error code
        xor     ah,ah                   ; Zero extend
        mov     errno,ax                ; Save in errno too
        ret

ems_getAllHandleNames40 endp            ; End of procedure

        end                             ; End of source file
```

## Searching for handle names

Figure 4-20 presents the source code listing to EMS541.ASM.

Function ems_searchHandleName40(...) returns a handle number associated with the specified handle name.

### Function ems_searchHandleName40(...)

status = ems_searchHandleName40(WORD *handle, char *name);

where

| | |
|---|---|
| handle | Receives number associated with name. |
| name | Points to an 8-byte handle name. |

**4-20** The source code listing to EMS541.ASM.

```
;****************************** :*******************************
;***    EMS541.ASM                                       ***
;***                                                     ***
;***    int far ems_searchHandleName40(WORD *handle,     ***
;***                              BYTE *name);           ***
;***                                                     ***
;***    Returns handle number of specified handle name.  ***
;***                                                     ***
;***    Returns 0 if no error or an error code.          ***
;***                                                     ***
;***                                                     ***
;***                                                     ***
;***    (Ems Version 4.0)                                ***
;*************************************************************

        .model  large,C

        include emsdefs.asm
```

```
        extrn    errno:WORD
;
;   Define entry point
;
        public   ems_searchHandleName40

        .code

ems_searchHandleName40 proc handle:Far Ptr Word, handle_name:Far Ptr Byte

        push     ds                    ; Save regs
        push     si

        lds      si,handle_name        ; DS:SI gets handle name

        mov      ax,SearchHandleName40  ; Do EMS call
        int      Ems

        or       ah,ah                 ; Set flags
        jnz      error

        les      bx,handle             ; Return handle we found
        mov      es:[bx],dx

        xor      ax,ax                 ; Return OK
        pop      si                    ; Restore regs
        pop      ds
        ret

error:
        pop      si                    ; Restore regs
        pop      ds

        mov      al,ah                 ; AL gets error code
        xor      ah,ah                 ; Zero extend
        mov      errno,ax              ; Save in errno too
        ret

ems_searchHandleName40 endp            ; End of procedure

end                                    ; End of source file
```

## Getting total number of handles

Figure 4-21 presents the source code listing to EMS542.ASM.

Function ems_getTotalHandles40(...) returns the total number of active EMS handles.

### Function ems_getTotalHandles40(...)

status = ems_getTotalHandles40(WORD *handles);

where

handles  Receives total number of active EMS handles.

**4-21** The source code listing to EMS542.ASM.

```
;*****************************************************************
;***      EMS542.ASM                                        ***
;***                                                        ***
;***      int far int far ems_getTotalHandles40(            ***
;***                               WORD *handles);          ***
;***                                                        ***
;***      Returns total number of allocated handles to      ***
;***      pointer.                                          ***
;***                                                        ***
;***      Returns 0 if no error or an error code.           ***
;***                                                        ***
;***                                                        ***
;***                                                        ***
;***      (Ems Version 4.0)                                 ***
;*****************************************************************

          .model   large,C

          include emsdefs.asm

          extrn    errno:WORD

;
;    Define entry point
;
          public   ems_getTotalHandles40

          .code

ems_getTotalHandles40 proc handles:Far Ptr Word

          mov      ax,GetTotalHandles40     ; Do EMS call
          int      Ems

          or       ah,ah                    ; Set flags
          jnz      error

          mov      ax,bx                    ; Number of handles
          les      bx,handles               ; Return it
          mov      es:[bx],ax

          xor      ax,ax                    ; Return OK
          ret

error:
          mov      al,ah                    ; AL gets error code
          xor      ah,ah                    ; Zero extend
          mov      errno,ax                 ; Save in errno too
          ret

ems_getTotalHandles40 endp                  ; End of procedure

          end                               ; End of source file
```

## Mapping pages by number and jump

Figure 4-22 presents the source code listing to EMS550.ASM.

Function ems__mapPagesJumpNum40(...) changes the context of the EMS pages and transfers to a specified address via a JMP (jump).

### Function ems__mapPagesJumpNum40(...)

status = Function ems__mapPagesJumpNum40(WORD handle, DWORD *buffer);

where

handle   Refers to EMS pages allocation.
buffer   Points to a 32-bit entry per page.

**4-22**   The source code listing to EMS550.ASM.

```
;**************************************************************
;***      EMS550.ASM                                     ***
;***                                                     ***
;***      int far ems_mapPagesJumpNum40(WORD handle,     ***
;***                                    WORD *buffer);   ***
;***                                                     ***
;***      Transfers control to EMS location mapped by phys. ***
;***      page by JUMP                                   ***
;***                                                     ***
;***      Returns 0 if no error or an error code.        ***
;***                                                     ***
;***                                                     ***
;***                                                     ***
;***      (Ems Version 4.0)                              ***
;**************************************************************

        .model  large,C

        include emsdefs.asm

        extrn   errno:WORD

;
;   Define entry point
;
        public  ems_mapPagesJumpNum40

        .code

ems_mapPagesJumpNum40 proc handle:Word, buffer:Far Ptr DWord

        push    ds                  ; Save regs
        push    si

        mov     dx,handle           ; DX gets the EMS handle
        lds     si,buffer           ; DS:SI gets the buffer address

        mov     ax,MapPagesJumpNum40 ; Make EMS call
        int     Ems

        or      ah,ah               ; Set flags
        jnz     error

        xor     ax,ax               ; Return OK
        pop     si
        pop     ds
        ret
```

**4-22** Continued.

```
error:
        pop     si                      ; Restore regs
        pop     ds

        mov     al,ah                   ; AL gets error code
        xor     ah,ah                   ; Zero extend
        mov     errno,ax                ; Save in errno too
        ret

ems_mapPagesJumpNum40 endp              ; End of procedure

        end                             ; End of source file
```

## Mapping pages by segment and jump

Figure 4-23 presents the source code listing to EMS551.ASM.

Function ems_mapPagesJumpSeg40(...) changes the context of the EMS pages and transfers to a specified address via a JMP (jump).

### Function ems_mapPagesJumpSeg40(...)

status = Function ems_mapPagesJumpSeg40(WORD handle, DWORD *buffer);

where

  handle  Refers to EMS pages allocation.
  buffer  Points to a 32-bit entry per page.

**4-23**  The source code listing to EMS551.ASM.

```
;***************************************************************
;***    EMS551.ASM                                         ***
;***                                                       ***
;***    int far ems_mapPagesJumpSeg40(WORD handle,         ***
;***                             WORD *buffer);            ***
;***                                                       ***
;***    Transfers control to EMS location mapped by segment ***
;***    location by JUMP                                   ***
;***                                                       ***
;***    Returns 0 if no error or an error code.            ***
;***                                                       ***
;***                                                       ***
;***                                                       ***
;***    (Ems Version 4.0)                                  ***
;***************************************************************

        .model  large,C

        include emsdefs.asm

        extrn   errno:WORD

;
;   Define entry point
;
        public  ems_mapPagesJumpSeg40

        .code
```

```
ems_mapPagesJumpSeg40 proc handle:Word, buffer:Far Pt

        push    ds                          ; Save regs
        push    si

        mov     dx,handle                   ; DX gets the EMS handle
        lds     si,buffer                   ; DS:SI gets the buffer address

        mov     ax,MapPagesJumpSeg40        ; Make the EMS call
        int     Ems

        or      ah,ah                       ; Set flags
        jnz     error

        xor     ax,ax                       ; Return OK
        pop     si                          ; Restore regs
        pop     ds
        ret

error:
        pop     si                          ; Restore regs
        pop     ds

        mov     al,ah                       ; AL gets error code
        xor     ah,ah                       ; Zero extend
        mov     errno,ax                    ; Save in errno too
        ret

ems_mapPagesJumpSeg40 endp                  ; End of procedure

        end                                 ; End of source file
```

## Mapping pages by number and call

Figure 4-24 presents the source code listing to EMS560.ASM.

Function ems_mapPagesCallNum40(...) changes the context of the EMS pages and transfers to a specified address via a CALL (call).

### Function ems_mapPagesCallNum40(...)

status = Function ems_mapPagesCallNum40(WORD handle, DWORD *buffer);

where

handle    Refers to EMS pages allocation.
buffer    Points to a 32-bit entry per page.

**4-24**  The source code listing to EMS560.ASM.

```
;****************************************************************
;***    EMS560.ASM                                        ***
;***                                                      ***
;***    int far ems_mapPagesCallNum40(WORD handle,        ***
;***                            WORD *buffer);            ***
;***                                                      ***
;***    Transfers control to EMS location mapped by phys. ***
;***    page by CALL                                      ***
;***                                                      ***
;***    Returns 0 if no error or an error code.           ***
```

**4-24** Continued.

```
;***                                                             ***
;***                                                             ***
;***                                                             ***
;***      (Ems Version 4.0)                                      ***
;****************************************************************

        .model  large,C

        include emsdefs.asm

        extrn   errno:WORD

;
;   Define entry point
;
        public  ems_mapPagesCallNum40

        .code

ems_mapPagesCallNum40 proc handle:Word, buffer:Far Ptr DWord

        push    ds                   ; Save regs
        push    si

        mov     dx,handle            ; DX gets EMS handle
        lds     si,buffer            ; DS:SI gets buffer address

        mov     ax,MapPagesCallNum40 ; Make EMS call
        int     Ems

        or      ah,ah                ; Set flags
        jnz     error

        xor     ax,ax                ; Return OK
        pop     si                   ; Restore regs
        pop     ds
        ret

error:
        pop     si                   ; Restore regs
        pop     ds

        mov     al,ah                ; AL gets error code
        xor     ah,ah                ; Zero extend
        mov     errno,ax             ; Save in errno too
        ret

ems_mapPagesCallNum40 endp           ; End of procedure

        end                          ; End of source file
```

## Mapping pages by segment and call

Figure 4-25 presents the source code listing to EMS561.ASM.
Function ems_mapPagesCallSeg40(...) changes the context of the EMS pages
and transfers to a specified address via a CALL (call).

## Function ems_mapPagesCallSeg40(...)

status = Function ems_mapPagesCallSeg40(WORD handle, DWORD *buffer);

where

handle   Refers to EMS pages allocation.
buffer   Points to a 32-bit entry per page.

**4-25**  The source code listing to EMS561.ASM.

```
;****************************************************************
;***      EMS561.ASM                                        ***
;***                                                        ***
;***      int far ems_mapPagesCallSeg40(WORD handle,        ***
;***                                    WORD *buffer);      ***
;***                                                        ***
;***      Transfers control to EMS location mapped by segment ***
;***      location by CALL                                  ***
;***                                                        ***
;***      Returns 0 if no error or an error code.           ***
;***                                                        ***
;***                                                        ***
;***                                                        ***
;***      (Ems Version 4.0)                                 ***
;****************************************************************

        .model  large,C

        include emsdefs.asm

        extrn   errno:WORD


;
;   Define entry point
;
        public  ems_mapPagesCallSeg40

        .code

ems_mapPagesCallSeg40 proc handle:Word, buffer:Far Ptr DWord

        push    ds                      ; Save regs
        push    si

        mov     dx,handle               ; DX gets EMS handle
        lds     si,buffer               ; DS:SI gets buffer address

        mov     ax,MapPagesCallSeg40    ; Make EMS call
        int     Ems

        or      ah,ah                   ; Set flags
        jnz     error

        xor     ax,ax                   ; Return OK
        pop     si                      ; Restore regs
        pop     ds
        ret
```

```
error:
        pop     si                      ; Restore regs
        pop     ds

        mov     al,ah                   ; AL gets error code
        xor     ah,ah                   ; Zero extend
        mov     errno,ax                ; Save in errno too
        ret

ems_mapPagesCallSeg40 endp              ; End of procedure

        end                             ; End of source file
```

## Getting map page stack space and call

Figure 4-26 presents the source code listing to EMS562.ASM.

Function ems_getStackNeeded40(...) retrieves the extra stack space required by the ems_mapPagesCallNum40(...) and ems_mapPagesCallSeg40(...) functions.

### Function ems_getStackNeeded40(...)

status = Function ems_getStackNeeded40(WORD *stack_size);

where

stack_size     Receives the extra stack size required by the ems_map PagesCallNum40(...) and ems_mapPagesCallSeg40(...) functions.

**4-26** The source code listing to EMS562.ASM.

```
;******************************************************************
;***    EMS562.ASM                                        ***
;***                                                      ***
;***    int far ems_getStackNeeded40(WORD *stack_space);  ***
;***                                                      ***
;***    Returns stack space for map page and call to      ***
;***    pointer.                                          ***
;***                                                      ***
;***    Returns 0 if no error or an error code.           ***
;***                                                      ***
;***                                                      ***
;***                                                      ***
;***    (Ems Version 4.0)                                 ***
;******************************************************************

        .model  large,C

        include emsdefs.asm

        extrn   errno:WORD

;
;   Define entry point
;
```

```
            public  ems_getStackSpaceNeeded40

        .code

ems_getStackSpaceNeeded40 proc stack_space:Far Ptr Word

            mov     ax,GetStackNeeded40      ; Make EMS call
            int     Ems

            or      ah,ah                    ; Set flags
            jnz     error

            les     bx,stack_space           ; Return stack size to caller
            mov     es:[bx],dx

            xor     ax,ax                    ; Return OK
            ret

error:
            mov     al,ah                    ; AL gets error code
            xor     ah,ah                    ; Zero extend
            mov     errno,ax                 ; Save in errno too
            ret

ems_getStackSpaceNeeded40 endp             ; End of procedure

        end                                ; End of source file
```

## Moving a memory region

Figure 4-27 presents the source code listing to EMS570.ASM.

The ems_moveMemRegion40(...) function moves a portion of expanded or conventional memory to any other location without disturbing the expanded memory page mapping context.

### Function ems_moveMemRegion40(...)

status = ems_moveMemRegion40(EMS_MoveMemoryInfo *buffer);

where

buffer     Points to EMS_MoveMemoryInfo structure (see EMS.H, FIG. 3-6 for EMS_MoveMemoryInfo structure).

**4-27**   The source code listing to EMS570.ASM.

```
;****************************************************************
;***    EMS570.ASM                                        ***
;***                                                      ***
;***    int far ems_moveMemRegion40(BYTE *buffer);        ***
;***                                                      ***
;***    Moves memory region from source to destination    ***
;***    described in MoveMemoryInfo_type structure        ***
;***                                                      ***
;***    Buffer Structure                                  ***
;***    ----------------                                  ***
;***    DWORD   length;        ; memory length            ***
;***    BYTE    srce_type;     ; 0=conventional,1=expanded ***
```

```
;***      WORD    srce_handle;  ; source emeory handle         ***
;***      WORD    srce_offset;  ; source memory offset         ***
;***      WORD    srce_id;      ; source seg or phys page      ***
;***      BYTE    dest_type;    ; 0=conventional,1=expanded    ***
;***      WORD    dest_handle;  ; source emeory handle         ***
;***      WORD    dest_offset;  ; source memory offset         ***
;***      WORD    dest_id;      ; source seg or phys page      ***
;***                                                           ***
;***      Returns 0 if no error or an error code.              ***
;***                                                           ***
;***                                                           ***
;***                                                           ***
;***      (Ems Version 4.0)                                    ***
;***************************************************************

          .model  large,C

          include emsdefs.asm

          extrn   errno:WORD


;
;    Define entry point
;
          public  ems_moveMemRegion40

          .code

ems_moveMemRegion40 proc buffer:Far Ptr Byte

          push    ds                  ; Save regs
          push    si

          lds     si,buffer           ; DS:SI gets move buffer address

          mov     ax,MoveMemRegion40  ; Do the EMS call
          int     Ems

          or      ah,ah               ; Set flags
          jnz     error

          xor     ax,ax               ; Return OK
          pop     si                  ; Restore regs
          pop     ds
          ret

error:
          pop     si                  ; Restore regs
          pop     ds

          mov     al,ah               ; AL gets error code
          xor     ah,ah               ; Zero extend
          mov     errno,ax            ; Save in errno too
          ret

ems_moveMemRegion40 endp              ; End of procedure

          end                         ; End of source file
```

## Swapping memory regions

Figure 4-28 presents the source code listing to EMS571.ASM.

The ems__swapMemRegion40(...) function swaps a portion of expanded or conventional memory with any other memory without disturbing the expanded memory page mapping context.

### Function ems__swapMemRegion40(...)

status = ems__swapMemRegion40(EMS__MoveMemoryInfo *buffer);

where

buffer      Points to EMS__MoveMemoryInfo structure (see EMS.H, FIG. 3-6, for EMS__MoveMemoryInfo structure).

**4-28**    The source code listing to EMS571.ASM.

```
;****************************************************************
;***      EMS571.ASM                                        ***
;***                                                        ***
;***      int far ems_swapMemRegions40(BYTE *buffer);       ***
;***                                                        ***
;***      Swaps memory region from source to destination    ***
;***      described in MoveMemoryInfo_type structure        ***
;***                                                        ***
;***      Buffer Structure                                  ***
;***      ----------------                                  ***
;***      DWORD    length;       ; memory length            ***
;***      BYTE     srce_type;    ; 0=conventional,1=expanded ***
;***      WORD     srce_handle;  ; source emeory handle      ***
;***      WORD     srce_offset;  ; source memory offset      ***
;***      WORD     srce_id;      ; source seg or phys page   ***
;***      BYTE     dest_type;    ; 0=conventional,1=expanded ***
;***      WORD     dest_handle;  ; source emeory handle      ***
;***      WORD     dest_offset;  ; source memory offset      ***
;***      WORD     dest_id;      ; source seg or phys page   ***
;***                                                        ***
;***      Returns 0 if no error or an error code.           ***
;***                                                        ***
;***                                                        ***
;***                                                        ***
;***      (Ems Version 4.0)                                 ***
;****************************************************************

        .model  large,C

        include emsdefs.asm

        extrn   errno:WORD

;
;   Define entry point
;
        public  ems_swapMemRegions40

        .code

ems_swapMemRegions40 proc buffer:Far Ptr Byte
```

```
        push    ds                      ; Save regs
        push    si

        lds     si,buffer               ; DS:SI gets swap buffer address

        mov     ax,SwapMemRegions40     ; Do the EMS call
        int     Ems

        or      ah,ah                   ; Set flags
        jnz     error

        xor     ax,ax                   ; Return OK
        pop     si                      ; Restore regs
        pop     ds
        ret

error:
        pop     si                      ; Restore regs
        pop     ds

        mov     al,ah                   ; AL gets error code
        xor     ah,ah                   ; Zero extend
        mov     errno,ax                ; Save in errno too
        ret

ems_swapMemRegions40 endp               ; End of procedure

        end                             ; End of source file
```

## Getting addresses of mappable pages

Figure 4-29 presents the source code listing to EMS580.ASM.

The ems_getAddrsMappable40(...) function retrieves the segment base address and physical page number for each mappable page in the EMS system.

### Function ems_getAddrsMappable40(...)

status = ems_getAddrsMappable40(EMS_MappablePagesInfo *buf,
                                WORD *num_entries)

where

buf             Points to EMS_MappablePagesInfo (see EMS.H, FIG. 3-6, for
                EMS_MappablePagesInfo structure).
num_entries     Receives the number of entries in mappable physical
                page array.

4-29  The source code listing to EMS580.ASM.

```
;*************************************************************
;***                                                     ***
;***     EMS580.ASM                                      ***
;***                                                     ***
;***     int far ems_getAddrsMappable40(                 ***
;***             MappablePagesInfo_type *buffer,         ***
;***             WORD *num_entries);                     ***
```

```
;***                                                    ***
;***     Returns, in the buffer specified a list of the  ***
;***     pages in memory which can be mapped. These include ***
;***     pages in the middle of the 640K area so caution ***
;***     must be exercised in mapping them.             ***
;***                                                    ***
;***     Returns 0 if no error or an error code.        ***
;***                                                    ***
;***     (Ems Version 4.0)                              ***
;****************************************************************

        .model  large,C

        include emsdefs.asm

        extrn   errno:WORD

;
;    Define entry point
;
        public  ems_getAddrsMappable40

        .code

ems_getAddrsMappable40 proc buffer:Far Ptr Byte, num_entries:Far Ptr Word

        push    di                      ; Save di

        les     di,buffer               ; Get the buffer address into ES:DI

        mov     ax,GetAddrsMappable40   ; Make the EMS call
        int     Ems

        or      ah,ah                   ; Set flags
        jnz     error

        les     bx,num_entries          ; Return number of pages
        mov     word ptr es:[bx],cx

        xor     ax,ax                   ; return OK
        pop     di                      ; restore di
        ret

error:
        pop     di                      ; restore di

        mov     al,ah                   ; AL gets error code
        xor     ah,ah                   ; Zero extend
        mov     errno,ax                ; Save in errno too
        ret

ems_getAddrsMappable40 endp             ; End of procedure

        end                             ; End of source file
```

## Getting number of mappable pages

Figure 4-30 presents the source code listing to EMS581.ASM.

The ems_getNumMappable40(...) function retrieves the number of mappable physical pages. This information may be used to calculate the size of the buffer required by the ems__getAddrsMappable40(...) function. A DWORD (4 bytes) of buffer space is required for each mappable page.

### Function ems__getNumMappable40(...)

status = ems__getNumMappable40(WORD *number);

where

num__entries   Receives the number of mappable physical pages.

4-30   The source code listing to EMS581.ASM.

```
;*****************************************************************
;***                                                         ***
;***     EMS581.ASM                                          ***
;***                                                         ***
;***     int far ems_getNumMappable40(DWORD *buffer);        ***
;***                                                         ***
;***     Returns total number of mappable pages to pointer.  ***
;***                                                         ***
;***     Returns 0 if no error or an error code.             ***
;***                                                         ***
;***     (Ems Version 4.0)                                   ***
;*****************************************************************

        .model  large,C

        include emsdefs.asm

        extrn   errno:WORD

;
;   Define entry point
;
        public  ems_getNumMappable40

        .code

ems_getNumMappable40 proc mappable_pages:Far Ptr Word

        mov     ax,GetNumMappable40     ; Make the call
        int     Ems

        or      ah,ah                   ; Check for error
        jnz     error

        les     bx,mappable_pages       ; Return the number of...
        mov     es:[bx],cx              ; ... mappable pages

        xor     ax,ax                   ; return OK
        ret

error:
        mov     al,ah                   ; AL gets error code
        xor     ah,ah                   ; Zero extend
        mov     errno,ax                ; Save in errno too
        ret
```

```
ems_getNumMappable40      endp           ; End of procedure

        end                              ; End of source file
```

## Getting hardware configuration

Figure 4-31 presents the source code listing to EMS590.ASM.

The ems_getHWConfig40(...) function returns information about the EMM configuration.

### Function ems_getHWConfig40(...)

status = ems_getHWConfig40(EMS_HardwareConfigInfo *buff);

where

> buff   Points to EMS_HardwareConfigInfo structure (see EMS.H, FIG. 3-6, for EMS_HardwareConfigInfo structure).

**4-31**   The source code listing to EMS590.ASM.

```
;****************************************************************
;***    EMS590.ASM                                         ***
;***                                                       ***
;***    int far ems_getHWConfig40(                         ***
;***                    HardwareConfigInfo_type *buf);     ***
;***                                                       ***
;***    HardwareConfigInfo_type structure                 ***
;***    --------------------------------                  ***
;***    WORD    raw_p_size;  ; size of raw pages in paras  ***
;***    WORD    alt_regs;    ; number of alt reg sets      ***
;***    WORD    save_area;   ; size of map sav area (bytes) ***
;***    WORD    regs_to_dma; ; max num regs assigned to dma ***
;***    WORD    dma_type;    ; 0=alt dma regs OK,          ***
;***                         ; 1=one dma reg only          ***
;***                                                       ***
;***    Returns hardware config info to structure pointer. ***
;***                                                       ***
;***    Returns 0 if no error or an error code.            ***
;***                                                       ***
;***                                                       ***
;***                                                       ***
;***    (Ems Version 4.0)                                  ***
;****************************************************************

        .model  large,C

        include emsdefs.asm

        extrn   errno:WORD

;
;   Define entry point
;
        public  ems_getHWConfig40

        .code
```

```
ems_getHWConfig40 proc buffer:Far Ptr Word

        push    di                      ; Save DI

        les     di,buffer               ; ES:DI gets buffer address

        mov     ax,GetHWConfig40        ; Do the EMS call
        int     Ems

        or      ah,ah                   ; Set flags
        jnz     error

        xor     ax,ax                   ; Return OK
        pop     di                      ; Restore DI
        ret

error:
        pop     di                      ; Restore DI

        mov     al,ah                   ; AL gets error code
        xor     ah,ah                   ; Zero extend
        mov     errno,ax                ; Save in errno too
        ret

ems_getHWConfig40 endp                  ; End of procedure

        end                             ; End of source file
```

## Getting number of raw pages

Figure 4-32 presents the source code listing to EMS591.ASM.

The ems_getNumRawPages40(...) function retrieves the number of raw pages that have been allocated and the total number of raw pages. A raw page's size may vary from the 16K page size standard.

### Function ems_getNumRawPages40(...)

status = ems_getNumRawPages40(WORD *free_pages, WORD *total_pages);

where

free_pages   Receives the number of free raw pages.
total_pages  Receives the total number of raw pages.

4-32   The source code listing to EMS591.ASM.

```
;*****************************************************************
;***    EMS591.ASM                                         ***
;***                                                       ***
;***    int far ems_getNumRawPages40(WORD *total_pages,    ***
;***                        WORD *free_pages);             ***
;***                                                       ***
;***    Returns the total number of free raw pages and the ***
;***    number of raw pages available.                     ***
```

```
;***                                                          ***
;***      Returns 0 if no error or an error code.             ***
;***                                                          ***
;***                                                          ***
;***                                                          ***
;***      (Ems Version 4.0)                                   ***
;****************************************************************

          .model   large,C

          include  emsdefs.asm

          extrn    errno:WORD

;
;    Define entry point
;
          public   ems_getNumRawPages40

          .code

ems_getNumRawPages40 proc     total:Far Ptr Word, free:Far Ptr Word

          mov      ax,GetNumRawPages40      ;  Do the EMS call
          int      Ems

          or       ah,ah                    ; Set flags
          jnz      error

          mov      ax,bx                    ; Save free pages
          les      bx,free                  ; Return it to caller
          mov      es:[bx],ax
          les      bx,total                 ; Return total pages to caller
          mov      es:[bx],dx

          xor      ax,ax                    ; Return OK
          ret

error:
          mov      al,ah                    ; AL gets error code
          xor      ah,ah                    ; Zero extend
          mov      errno,ax                 ; Save in errno too
          ret

ems_getNumRawPages40 endp                   ; End of procedure

          end                               ; End of source file
```

## Allocating handle and standard pages

Figure 4-33 presents the source code listing to EMS5A0.ASM.

The ems_allocHandleStd40(...) function allocates a specified number of standard (16K) pages and retrieves the handles associated with those standard pages.

### Function ems_allocHandleStd40(...)

status = ems_allocHandleStd40(WORD *handle, WORD pages);

where

    handle    Receives value associates with pages.

    pages    Holds the number of standard pages to allocate.

**4-33** The source code listing to EMS5A0.ASM.

```
;****************************************************************
;***    EMS5A0.ASM                                          ***
;***                                                        ***
;***    int far ems_allocHandleStd40(WORD *handle,          ***
;***                                 WORD pages);           ***
;***                                                        ***
;***    Allocates standards pages and returns handle to     ***
;***    pointer.                                            ***
;***                                                        ***
;***    Returns 0 if no error or an error code.             ***
;***                                                        ***
;***                                                        ***
;***                                                        ***
;***    (Ems Version 4.0)                                   ***
;****************************************************************
;
        .model  large,C

        include emsdefs.asm

        extrn   errno:WORD

;
;   Define entry point
;
        public  ems_allocHandleStd40

        .code

ems_allocHandleStd40 proc handle:Far Ptr Word, pages:Word

        mov     bx,pages            ; BX gets # pages to allocate

        mov     ax,AllocHandleStd40 ; Do EMS call
        int     Ems

        or      ah,ah               ; Set flags
        jnz     error

        les     bx,handle           ; Return handle to caller
        mov     es:[bx],dx

        xor     ax,ax               ; Return OK
        ret

error:
        mov     al,ah               ; AL gets error code
        xor     ah,ah               ; Zero extend
        mov     errno,ax            ; Save in errno too
        ret
```

```
ems_allocHandleStd40 endp                  ; End of procedure

        end                                ; End of source file
```

## Allocating handle and raw pages

Figure 4-34 presents the source code listing to EMS5A1.ASM.

The ems_allocHandleRaw40(...) function allocates a specified number of raw (variable sized) pages and retrieves the handles associated with those standard pages.

**4-34** The source code listing to EMS5A1.ASM.

```
;*****************************************************************
;***    EMS5A1.ASM                                            ***
;***                                                          ***
;***    int far ems_allocHandleRaw40(WORD *handle,            ***
;***                                 WORD pages);             ***
;***                                                          ***
;***    Allocates raw pages and returns handle to pointer.    ***
;***                                                          ***
;***    Returns 0 if no error or an error code.               ***
;***                                                          ***
;***                                                          ***
;***                                                          ***
;***    (Ems Version 4.0)                                     ***
;*****************************************************************

        .model  large,C

        include emsdefs.asm

        extrn   errno:WORD

;
;   Define entry point
;
        public  ems_allocHandleRaw40

        .code

ems_allocHandleRaw40 proc handle:Far Ptr Word, pages:Word

        mov     bx,pages              ; BX get # pages to allocate

        mov     ax,AllocHandleRaw40   ; Do EMS call
        int     Ems

        or      ah,ah                 ; Set flags
        jnz     error

        les     bx,handle             ; Return handle to caller
        mov     es:[bx],dx

        xor     ax,ax                 ; Return OK
        ret
```

```
error:
        mov     al,ah                   ; AL gets error code
        xor     ah,ah                   ; Zero extend
        mov     errno,ax                ; Save in errno too
        ret

ems_allocHandleRaw40 endp               ; End of procedure

        end                             ; End of source file
```

### Function ems_allocHandleRaw40(...)

status = ems_allocHandleRaw40(WORD *handle, WORD pages);

where

handle   Receives value associates with pages.
pages    Holds the number of raw pages to allocate.

## Preparing EMM for warm boot

Figure 4-35 presents the source code listing to EMS5C.ASM.

The ems_prepEmmWarmBoot40(...) function prepares the EMM for an impending warm boot process. This function affects all hardware dependencies that would normally change at warm boot.

### Function ems_prepEmmWarmBoot40(...)

status = ems_prepEmmWarmBoot40( );

4-35   The source code listing to EMS5C.ASM.

```
;****************************************************************
;***    EMS5C.ASM                                        ***
;***                                                     ***
;***    int far ems_PrepEmmWarmBoot40(void)              ***
;***                                                     ***
;***    Prep EMM for warm boot process                  ***
;***                                                     ***
;***    Returns 0 if no error or an error code.          ***
;***                                                     ***
;***                                                     ***
;***                                                     ***
;***    (Ems Version 4.0)                                ***
;****************************************************************

        .model  large,C

        include emsdefs.asm

        extrn   errno:WORD

;
```

```
;   Define entry point
;
        public  ems_prepEmmWarmBoot40

        .code

ems_prepEmmWarmBoot40 proc

        mov     ax,PrepEmmWarmBoot40     ; Do the EMS call
        int     Ems

        or      ah,ah                    ; Set flags
        jnz     error

        xor     ax,ax                    ; Return OK
        ret

error:
        mov     al,ah                    ; AL gets error code
        xor     ah,ah                    ; Zero extend
        mov     errno,ax                 ; Save in errno too
        ret

ems_prepEmmWarmBoot40 endp               ; End of procedure

        end                              ; End of source file
```

# EMS 4.0 operating-system-only functions

TABLE 4-1 presents a list of EMS 4.0 functions whose use is intended by the operating system only. These functions may be disabled at any time by the operating system, and their use in your programs is not recommended.

Table 4-1    The EMS 4.0 OS-Only function list.

| Funct. | Sub. | Description |
| --- | --- | --- |
| 5B | 00 | Getting alternate map registers |
| 5B | 01 | Setting alternate map registers |
| 5B | 02 | Getting size of alternate map save area |
| 5B | 03 | Allocating alternate map register set |
| 5B | 04 | Deallocating alternate map register set |
| 5B | 05 | Allocating DMA register set |
| 5B | 06 | Enabling DMA on alternate map register set |
| 5B | 07 | Disabling DMA on alternate map register set |
| 5B | 08 | Deallocating DMA register set |
| 5D | 00 | Enabling EMM operating system functions |
| 5D | 01 | Disabling EMM operating system functions |
| 5D | 02 | Releasing access key |

# Summary

Chapter 4 presented the EMS 4.0 functions that can greatly enhance your use of EMS memory in your programs. If your program is intended for commercial use, it makes good sense to stick to EMS 3.0 supported functions. Although many computers do support the EMS 4.0 standard, not every computer that used EMS has been upgraded to the EMS 4.0 standard.

If your program is intended for an in-house application that supports the EMS 4.0 standard, then it makes very good sense to use the functions presented in this chapter.

Figure 4-36 presents the library listing to the EMSL.LIB file. As is plain to see, you are now in possession of a comprehensive EMS programmers' library.

**4-36** The library listing to EMSL.LIB.

```
Publics by module

EMS40            size = 12
          _ems_getStatus

EMS41            size = 36
          _ems_getPFA

EMS42            size = 38
          _ems_getFreeEM

EMS43            size = 33
          _ems_allocEM

EMS44            size = 33
          _ems_mapPage

EMS45            size = 27
          _ems_freeEM

EMS46            size = 32
          _ems_getVersion

EMS47            size = 27
          _ems_savePageMap

EMS48            size = 27
          _ems_restorePageMap

EMS4B            size = 32
          _ems_getNumActiveHandles

EMS4C            size = 35
          _ems_getPagesForHandle

EMS4D            size = 38
          _ems_getPagesAllHandles
```

```
EMS4E0          size = 31
       _ems_savePageMap32

EMS4E1          size = 34
       _ems_restPageMap32

EMS4E2          size = 40
       _ems_swapPageMap32

EMS4E3          size = 35
       _ems_getMapInfoSize32

EMS4F0          size = 40
       _ems_savePartialMap40

EMS4F1          size = 34
       _ems_restPartialMap40

EMS4F2          size = 36
       _ems_getPMapInfoSize40

EMS500          size = 40
       _ems_mapPagesByNum40

EMS501          size = 40
       _ems_mapPagesByAddr40

EMS51           size = 31
       _ems_reallocHandPages40

EMS520          size = 36
       _ems_getHandleAttr40

EMS521          size = 31
       _ems_setHandleAttr40

EMS522          size = 33
       _ems_getAttrCapability40

EMS530          size = 34
       _ems_getHandleName40

EMS531          size = 37
       _ems_setHandleName40

EMS540          size = 31
       _ems_getAllHandleNames40

EMS541          size = 40
       _ems_searchHandleName40

EMS542          size = 33
       _ems_getTotalHandles40

EMS550          size = 37
       _ems_mapPagesJumpNum40

EMS551          size = 37
       _ems_mapPagesJumpSeg40
```

**4-36** Continued.

EMS560          size = 37
        _ems_mapPagesCallNum40

EMS561          size = 37
        _ems_mapPagesCallSeg40

EMS562          size = 31
        _ems_getStackSpaceNeeded40

EMS570          size = 34
        _ems_moveMemRegion40

EMS571          size = 34
        _ems_swapMemRegions40

EMS580          size = 37
        _ems_getAddrsMappable40

EMS581          size = 31
        _ems_getNumMappable40

EMS590          size = 31
        _ems_getHWConfig40

EMS591          size = 39
        _ems_getNumRawPages40

EMS5A0          size = 34
        _ems_allocHandleStd40

EMS5A1          size = 34
        _ems_allocHandleRaw40

EMS5B0          size = 50
        _ems_getAltMapRegs40

EMS5B1          size = 38
        _ems_setAltMapRegs40

EMS5B2          size = 31
        _ems_getAltMapRegSize40

EMS5B3          size = 35
        _ems_allocAltMapRegs40

EMS5B4          size = 28
        _ems_releaseAltMapRegs40

EMS5B5          size = 35
        _ems_allocDMARegs40

EMS5B6          size = 31
        _ems_enableDMA40

EMS5B7          size = 28
        _ems_disableDMA40

| EMS5B8 | size = 28 |
| | _ems_releaseDMARegs40 |

| EMS5C | size = 20 |
| | _ems_prepEmmWarmBoot40 |

| EMS5D0 | size = 47 |
| | _ems_enableEmmOSFuncs40 |

| EMS5D1 | size = 47 |
| | _ems_disableEmmOSFuncs40 |

| EMS5D2 | size = 31 |
| | _ems_releaseAccessKey40 |

| EMSERR | size = 1747 |
| | _ems_demoError     _ems_errorText |

| EMSINIT | size = 215 |
| | _ems_present |

# 5

# Extended memory
# specification (XMS) v2.0

One of the early failings for programmers attempting to use XMS memory (memory addressed above 1M) was the lack of an XMS standard. In the summer of 1988, Microsoft Corporation, Lotus Development Corporation, Intel Corporation, and AST Research Inc. jointly agreed upon an XMS programming standard. This programming standard provided a series of predefined functions that permit orderly usage of extended memory.

Let's take a look at the basic vocabulary that will be used in this chapter.

**Extended Memory**  Memory in 80286 (386, 486, etc...) computers addressed above the 1M boundary.

**High Memory Area (HMA)**  The first 64K of extended memory. HMA is unique because code can be located in it and may be executed while the computer is running in real mode. HMA really starts at address ffff:0010h.

**Upper Memory Block (UMB)**  Blocks of memory available between the 640K and 1M addresses. The availability of UMBs depends on hardware adapter cards installed in the computer.

**Extended Memory Blocks (EMB)**  Blocks of memory located above the HMA that may only be used for data storage.

**A20 line**  The 21st address line of the 80x86 family of microprocessors. Enabling the A20 allows access to the HMA memory area in real mode.

**Extended Memory Manager (XMM)**  A DOS device driver that allows for the management of Extended Memory.

Here are some comments concerning the overall design of the XMS interface code. Note that there is a function named xms_init(...), which initializes XMS. It should be used to determine if XMS is in fact available for use by your program. If you do not initialize XMS and make a call to one XMS related function, this function will return an error.

In regard to error reporting, we have decided to return all errors via the standard function return mechanism. If there is no error, a 0 is returned. If an error occurs, it may be referenced by using the XMS error codes in the XMS.H file.

The first part of the chapter provides a series of heavily commented demonstration programs clearly showing how to use XMS. Feel free to use these demonstration programs as stepping-stones in your programs' use of Extended Memory.

The second part of this chapter provides the source for XMS management functions. These functions will provide a solid foundation for your using XMS in your programs.

## XMS 2.0 demonstration programs

PROG5-1.C demonstrates the following feature:

- Testing for the presence of XMS.

Figure 5-1 presents the source code listing to PROG5-1.C.

**5-1**  The source code listing to PROG5-1.C.

```
/////////////////////////////////////////
//
// prog5-1.c
//
// Test to see if XMS is present
//
/////////////////////////////////////////

////////////////////////////
// include standard
// I/O functions

#include <stdio.h>
#include <dos.h>

//////////////////////////
//
// include xms memory
// management header
// files

#include "gdefs.h"
#include "xms.h"
```

```
//////////////////////
// begin program

void main()
{

    extern  void   *xmsHandler;


    //
    //  Print out the address of the XMS handler before it's
    //  initialized.
    //
    printf("Before initialization: XMS handler= %04X:%04X\n",
            FP_SEG(xmsHandler),
            FP_OFF(xmsHandler));

    //
    //  Attempt to initialize XMS. If there is an error, report it.
    //
    if(xms_init() == XMSErrOK) {
        printf("XMS is present\n");
        }
    else {
        printf("XMS is not present\n");
        }

    //
    //  Now print out the address of the XMS handler after it's been
    //  initialized.
    //
    printf("After initialization: XMS handler= %04X:%04X\n",
            FP_SEG(xmsHandler),
            FP_OFF(xmsHandler));

}
```

PROG5-2.C demonstrates the following feature:

- Reporting the version of the XMS driver.

Figure 5-2 presents the source code listing to PROG5-2.C.

**5-2**  The source code listing to PROG5-2.C.

```
/////////////////////////////////////
//
// prog5-2.c
//
// Get XMS Version Number
//
/////////////////////////////////////

//////////////////////
// include standard
// I/O functions
```

```
#include <stdio.h>
#include <stdlib.h>
#include <dos.h>

/////////////////////////
//
// include xms memory
// management header
// files

#include "gdefs.h"
#include "xms.h"

/////////////////////////
// begin program


void main()
{

    extern  void    *xmsHandler;

    union   {
        struct {
            unsigned    digit4:4;
            unsigned    digit3:4;
            unsigned    digit2:4;
            unsigned    digit1:4;
            } bcd;

        WORD    word;
        } xmsVersion, xmmVersion;

    WORD    hmaFlag;

    //
    // Print out the address of the XMS handler before it's
    // initialized.
    //
    printf("Before initialization: XMS handler= %04X:%04X\n",
                FP_SEG(xmsHandler),
                FP_OFF(xmsHandler));


    //
    // Attempt to initialize XMS. If there is an error, report it.
    //
    if(xms_init() == XMSErrOK) {
        printf("XMS is present\n");
        }
    else {
        printf("XMS is not present\n");
        }


    //
    // Now print out the address of the XMS handler after it's been
    // initialized.
    //
    printf("After initialization: XMS handler= %04X:%04X\n\n",
```

```
                    FP_SEG(xmsHandler),
                    FP_OFF(xmsHandler));

        //
        //  Now get the version numbers:
        //
        if (xms_getVersion(&xmsVersion.word, &xmmVersion.word, &hmaFlag)) {
            xms_demoError("xms_getVersion");
            }

        printf("XMS Version= %d%d.%d%d, XMM Version= %d%d.%d%d, HMA is %s\n",
                    xmsVersion.bcd.digit1,
                    xmsVersion.bcd.digit2,
                    xmsVersion.bcd.digit3,
                    xmsVersion.bcd.digit4,
                    xmmVersion.bcd.digit1,
                    xmmVersion.bcd.digit2,
                    xmmVersion.bcd.digit3,
                    xmmVersion.bcd.digit4,
                    (hmaFlag) ? "available" : "not available");
}
```

PROG5-3.C demonstrates the following features:

- Getting the amount of free XMS.
- Allocating XMS for program use.
- Freeing XMS for other purposes.

Figure 5-3 presents the source code listing to PROG5-3.C.

**5-3**  The source code listing to PROG5-3.C.

```
//////////////////////////////////////
//
// prog5-3.c
//
// Get amount of free XMS
//
//////////////////////////////////////

/////////////////////////
// include standard
// I/O functions

#include <stdio.h>
#include <stdlib.h>
#include <dos.h>

/////////////////////////
//
// include xms memory
// management header
// files

#include "gdefs.h"
#include "xms.h"

/////////////////////////
// begin program
```

```
void main()
{

    WORD    totalFree;
    WORD    largestFree;
    WORD    handle1;
    WORD    handle2;


    //
    //  Attempt to initialize XMS. If there is an error, report it.
    //
    if (xms_init()) {
        printf("XMS is not present\n");
        }


    //
    //  Print header:
    //
    printf("                                    Total        Largest Block\n");
    printf("============================|===============|===============|\n");
    //
    //  Report the free memory available:
    //
    if (xms_getFreeXM(&totalFree, &largestFree)) {
        xms_demoError("xms_getFreeXM");
        }

    printf("After initialization        |   %4d KB    |   %4d KB    |\n",
                totalFree, largestFree);
    printf("----------------------------|---------------|---------------|\n");


    //
    //  Now allocate 16KB and note the change:
    //
    if (xms_allocXM(16, &handle1)) {
        xms_demoError("xms_allocXM");
        }

    if (xms_getFreeXM(&totalFree, &largestFree)) {
        xms_demoError("xms_getFreeXM");
        }

    printf("After 16 KB allocate        |   %4d KB    |   %4d KB    |\n",
                totalFree, largestFree);
    printf("----------------------------|---------------|---------------|\n");


    //
    //  Now allocate another 32KB and note the change:
    //
    if (xms_allocXM(32, &handle2)) {
        xms_demoError("xms_allocXM");
        }

    if (xms_getFreeXM(&totalFree, &largestFree)) {
        xms_demoError("xms_getFreeXM");
        }
```

```
        printf("After 32 KB allocate       |    %4d KB    |    %4d KB     |\n",
                  totalFree, largestFree);
        printf("---------------------------|--------------|--------------|\n");

        //
        //  Now free the FIRST block and see what happens:
        //
        if (xms_freeXM(handle1)) {
           xms_demoError("xms_freeXM");
           }

        if (xms_getFreeXM(&totalFree, &largestFree)) {
           xms_demoError("xms_getFreeXM");
           }

        printf("After free of 16 KB block  |    %4d KB    |    %4d KB     |\n",
                  totalFree, largestFree);
        printf("---------------------------|--------------|--------------|\n");

        //
        //  Now free second block of 32KB
        //
        if (xms_freeXM(handle2)) {
           xms_demoError("xms_freeXM");
           }
        if (xms_getFreeXM(&totalFree, &largestFree)) {
           xms_demoError("xms_getFreeXM");
           }
        printf("After free of 32 KB block  |    %4d KB    |    %4d KB     |\n",
                  totalFree, largestFree);
        printf("===========================|==============|==============|\n");

        //
        //  Now attempt to free the handles again. We expect errors.
        //
        if (xms_freeXM(handle1)) {
           printf("xms_freeXM() of already freed handle gives \"%s\"\n",
                     xms_errorText(errno));
           }
        if (xms_freeXM(handle2)) {
           printf("xms_freeXM() of already freed handle gives \"%s\"\n",
                     xms_errorText(errno));
           }

}
```

PROG5-4.C demonstrates the following feature:

- Transferring data to and from XMS.

Figure 5-4 presents the source code listing to PROG5-4.C.

**5-4**   The source code listing to PROG5-4.C.

```
//////////////////////////////////////
//
//  prog5-4.c
//
//  Demonstrates use of move to/from eXtended Memory
//
```

```
/////////////////////
// include standard
// I/O functions

#include <stdio.h>
#include <stdlib.h>
#include <string.h>
#include <dos.h>

/////////////////////
//
// include xms memory
// management header
// files

#include "gdefs.h"
#include "xms.h"

/////////////////////
// begin program


#define EVEN(x)     (((x)+1)&~1)

void main()
{
    WORD    handle1;
    WORD    handle2;
    WORD    handle3;
    WORD    handle4;

    XMS_MovePacket
            movePacket;
    char    *text;

    char    buff[72];


    //
    //  Attempt to initialize XMS. If there is an error, report it.
    //
    if (xms_init()) {
        printf("XMS is not present\n");
        }

    //
    //  Now allocate 4 1KB blocks.
    //
    if (xms_allocXM(1, &handle1)) {
        xms_demoError("xms_allocXM");
        }
    if (xms_allocXM(1, &handle2)) {
        xms_demoError("xms_allocXM");
        }
    if (xms_allocXM(1, &handle3)) {
```

```
        xms_demoError("xms_allocXM");
        }
    if (xms_allocXM(1, &handle4)) {
        xms_demoError("xms_allocXM");
        }


    //
    //  Now let's copy some text into various places in the
    //  XM blocks, and then copy it back and print it out.
    //


    //
    //  Set up a pointer to a string:
    //
    text= "Fourscore and seven years ago our fathers brought forth ";


    //
    //  Set up the move packet. Note that we round the length
    //  up to an even number. The call requires an even length
    //  transfer.
    //
    movePacket.length= EVEN(strlen(text)+1);// +1 for terminator
    movePacket.srcHandle= 0;                // indicates real memory
    movePacket.srcOffset= (DWORD) text;     // actual segment:offset
    movePacket.destHandle= handle1;         // 1st 1K block
    movePacket.destOffset= 42;              // A random offset into block


    //
    //  Do the actual XMS call:
    //
    if (xms_moveXM(&movePacket)) {
        xms_demoError("xms_moveXM");
        exit(1);
        }


    //
    //  Now put the next string into the next XM block:
    //
    text= "on this continent a\nnew nation, ";

    movePacket.length= EVEN(strlen(text)+1);// +1 for terminator
    movePacket.srcHandle= 0;                  // indicates real memory
    movePacket.srcOffset= (DWORD) text;       // actual segment:offset
    movePacket.destHandle= handle2;           // 2nd 1K block
    movePacket.destOffset= 911;               // A random offset into block

    if (xms_moveXM(&movePacket)) {
        xms_demoError("xms_moveXM");
        exit(1);
        }


    //
    //  And something for the the third block:
    //
    text= "conceived in liberty and dedicated to the proposition ";

    movePacket.length= EVEN(strlen(text)+1);// +1 for terminator
    movePacket.srcHandle= 0;                  // indicates real memory
    movePacket.srcOffset= (DWORD) text;       // actual segment:offset
    movePacket.destHandle= handle3;           // 3rd 1K block
```

```
movePacket.destOffset= 800;              // A random offset into block

if (xms_moveXM(&movePacket)) {
    xms_demoError("xms_moveXM");
    exit(1);
    }

//
//   Now the fourth and last block:
//
text= "that all\nmen are created equal.\n";

movePacket.length= EVEN(strlen(text)+1);// +1 for terminator
movePacket.srcHandle= 0;                 // indicates real memory
movePacket.srcOffset= (DWORD) text;      // actual segment:offset
movePacket.destHandle= handle4;          // 4th 1K block
movePacket.destOffset= 212;              // A random offset into block

if (xms_moveXM(&movePacket)) {
    xms_demoError("xms_moveXM");
    exit(1);
    }

//
//   Now we've copies four strings into XM blocks.
//        Block 1 at offset 42,
//        Block 2 at offset 911,
//        Block 3 at offset 800,
//        Block 4 at offset 212.
//
//   Now let's retrieve them and print them out.
//
movePacket.length= 72;                   // Length of buffer
movePacket.srcHandle= handle1;           // 1st block
movePacket.srcOffset= 42;                // offset
movePacket.destHandle= 0;                // real memory
movePacket.destOffset= (DWORD) &buff;    // real address

if (xms_moveXM(&movePacket)) {
    xms_demoError("xms_moveXM");
    exit(1);
    }

printf("%s", buff);

//
//   Now pick up the second piece:
//
movePacket.length= 72;                   // Length of buffer
movePacket.srcHandle= handle2;           // 2nd block
movePacket.srcOffset= 911;               // offset
movePacket.destHandle= 0;                // real memory
movePacket.destOffset= (DWORD) &buff;    // real address

if (xms_moveXM(&movePacket)) {
    xms_demoError("xms_moveXM");
    exit(1);
    }
```

```
        printf("%s", buff);


        //
        //  Now pick up the third piece:
        //
        movePacket.length= 72;                  // Length of buffer
        movePacket.srcHandle= handle3;          // 3rd block
        movePacket.srcOffset= 800;              // offset
        movePacket.destHandle= 0;               // real memory
        movePacket.destOffset= (DWORD) &buff;   // real address

        if (xms_moveXM(&movePacket)) {
            xms_demoError("xms_moveXM");
            exit(1);
            }

        printf("%s", buff);


        //
        //  Now pick up the fourth piece:
        //
        movePacket.length= 72;                  // Length of buffer
        movePacket.srcHandle= handle4;          // 4th block
        movePacket.srcOffset= 212;              // offset
        movePacket.destHandle= 0;               // real memory
        movePacket.destOffset= (DWORD) &buff;   // real address

        if (xms_moveXM(&movePacket)) {
            xms_demoError("xms_moveXM");
            exit(1);
            }

        printf("%s", buff);

        //
        //  Free up the blocks of memory.
        //
        if (xms_freeXM(handle1)) {
            xms_demoError("xms_freeXM");
            }
        if (xms_freeXM(handle2)) {
            xms_demoError("xms_freeXM");
            }
        if (xms_freeXM(handle3)) {
            xms_demoError("xms_freeXM");
            }
        if (xms_freeXM(handle4)) {
            xms_demoError("xms_freeXM");
            }

}
```

PROG5-5.C demonstrates the following features:

- Getting the A20 state.
- Enabling A20.
- Disabling A20.

Figure 5-5 presents the source code listing to PROG5-5.C.

**5-5** The source code listing to PROG5-5.C.

```
/////////////////////////////////
//
// prog5-5.c
//
//   Demonstrates use of the HMA
//
/////////////////////////////////

///////////////////////
// include standard
// I/O functions

#include <stdio.h>
#include <stdlib.h>
#include <string.h>
#include <dos.h>

///////////////////////
//
// include xms memory
// management header
// files

#include "gdefs.h"
#include "xms.h"

///////////////////////
// begin program


void main()
{
    char    *text;
    char    *hma;

    WORD    a20State;

    //
    //   Attempt to initialize XMS. If there is an error, report it.
    //
    if (xms_init()) {
        printf("XMS is not present\n");
        }

    //
    //   Now try to allocate the HMA
    //
    if (xms_allocHMA(0xFFFF)) {
        xms_demoError("xms_allocHMA");
        }

    //
    //   Now that we've got the HMA, we need to enable the A20
    //   line so that addresses won't wrap.
    //
```

```
        if (xms_globEnabA20()) {
            xms_demoError("xms_globEnabA20");
            }

        //
        //   We've got it. Let's set up a pointer to the memory
        //   now. Note that (0xFFFF << 4) + 0x10 = 0xFFFF0 + 0x10 = 0x100000.
        //
        hma= MK_FP(0xFFFF, 0x10);

        //
        //   Now let's copy some text into various places in the
        //   HMA, and then copy it back and print it out.
        //
        text= "Oh say can you see by the dawn's early light\n";
        strcpy(&hma[0], text);
        text= "  What so proudly we hailed at the twilight's last gleaming ?\n";
        strcpy(&hma[100], text);
        text= "Whose broad stripes and bright stars ";
        strcpy(&hma[200], text);
        text= "through the perilous fight\n";
        strcpy(&hma[300], text);
        text= "  O'er the ramparts we watched were so gallantly streaming ?\n";
        strcpy(&hma[400], text);

        //
        //   Query and print out the A20 state (we know it's enabled):
        //
        if (xms_getA20State(&a20State)) {
            xms_demoError("xms_getA20State");
            }

        printf(
    "===========================A20=%s===========================\n",
            (a20State) ? "Enabled=" : "Disabled");

        //
        //   Now print the stuff right out of the HMA
        //
        printf("%s", &hma[0]);
        printf("%s", &hma[100]);
        printf("%s", &hma[200]);
        printf("%s", &hma[300]);
        printf("%s", &hma[400]);

        //
        //   Disable the A20 line.
        //
        if (xms_globDisabA20()) {
            xms_demoError("xms_globDisabA20");
            }

        //
        //   Now note the garbage the same code will produce without
        //   the A20 line enabled. This will be looking at addresses
        //   0:0, 0:100, etc. instead of 10000:0, 10000:100, etc.
        //
        if (xms_getA20State(&a20State)) {
            xms_demoError("xms_getA20State");
            }
```

```
    printf(
"==============================A20=%s==============================\n",
            (a20State) ? "Enabled=" : "Disabled");

    printf("%s", &hma[0]);
    printf("%s", &hma[100]);
    printf("%s", &hma[200]);
    printf("%s", &hma[300]);
    printf("%s", &hma[400]);

    //
    //   Free up the HMA
    //
    if (xms_freeHMA()) {
        xms_demoError("xms_freeHMA");
        }

}
```

PROG5-6.C demonstrates the following feature:

- Moving data to and from XMS via the Raw move.

Figure 5-6 presents the source code listing to PROG5-6.C.

**5-6** The source code listing to PROG5-6.C.

```
//////////////////////////////////////
//
// prog5-6.c
//
// Demonstrates use of move to/from eXtended Memory using raw move.
//
//////////////////////////////////////


//////////////////////////
// include standard
// I/O functions

#include <stdio.h>
#include <stdlib.h>
#include <string.h>
#include <dos.h>

//////////////////////////
//
// include xms memory
// management header
// files

#include "gdefs.h"
#include "xms.h"

//////////////////////////
// begin program
```

```c
#define EVEN(x)     (((x)+1)&~1)

void main()
{

    WORD    handle1;
    WORD    handle2;
    WORD    handle3;
    WORD    handle4;

    DWORD   physAddr1;
    DWORD   physAddr2;
    DWORD   physAddr3;
    DWORD   physAddr4;

    char    *text;

    char    buff[72];


    //
    //  Attempt to initialize XMS. If there is an error, report it.
    //
    if (xms_init()) {
        printf("XMS is not present\n");
        }

    //
    //  Now allocate 4 1KB blocks.
    //
    if (xms_allocXM(1, &handle1)) {
        xms_demoError("xms_allocXM");
        }
    if (xms_allocXM(1, &handle2)) {
        xms_demoError("xms_allocXM");
        }
    if (xms_allocXM(1, &handle3)) {
        xms_demoError("xms_allocXM");
        }
    if (xms_allocXM(1, &handle4)) {
        xms_demoError("xms_allocXM");
        }

    //
    //  Now let's lock the blocks, getting their physical addresses
    //  so we can do some raw moves to and from them.
    //
    if (xms_lockXM(handle1, &physAddr1)) {
        xms_demoError("xms_lockXM");
        }
    if (xms_lockXM(handle2, &physAddr2)) {
        xms_demoError("xms_lockXM");
        }
    if (xms_lockXM(handle3, &physAddr3)) {
        xms_demoError("xms_lockXM");
        }
    if (xms_lockXM(handle4, &physAddr4)) {
        xms_demoError("xms_lockXM");
```

**5-6** Continued.

```c
        }

//
//  Now let's copy some text into various places in the
//  XM blocks, and then copy it back and print it out.
//


//
//  Set up a pointer to a string:
//
text= "Fourscore and seven years ago our fathers brought forth ";


//
//  Do the raw move. Note that the length must be an
//  even number of bytes.
//
if (xms_rawMove(physAddr1+42, SegOffToPhys(text), EVEN(strlen(text)+1))) {
    xms_demoError("xms_rawMove");
    }


//
//  Now put the next string into the next XM block:
//
text= "on this continent a\nnew nation, ";
if (xms_rawMove(physAddr2+911, SegOffToPhys(text), EVEN(strlen(text)+1))) {
    xms_demoError("xms_rawMove");
    }


//
//  And something for the the third block:
//
text= "conceived in liberty and dedicated to the proposition ";
if (xms_rawMove(physAddr3+800, SegOffToPhys(text), EVEN(strlen(text)+1))) {
    xms_demoError("xms_rawMove");
    }


//
//  Now the fourth and last block:
//
text= "that all\nmen are created equal.\n";
if (xms_rawMove(physAddr4+212, SegOffToPhys(text), EVEN(strlen(text)+1))) {
    xms_demoError("xms_rawMove");
    }


//
//  Now we've copies four strings into XM blocks.
//      Block 1 at offset 42,
//      Block 2 at offset 911,
//      Block 3 at offset 800,
//      Block 4 at offset 212.
//
//  Now let's retrieve them and print them out.
//
if (xms_rawMove(SegOffToPhys(buff), physAddr1+42, 72)) {
    xms_demoError("xms_rawMove");
    }

printf("%s", buff);
```

```
//
//   Now pick up the second piece:
//
if (xms_rawMove(SegOffToPhys(buff), physAddr2+911, 72)) {
    xms_demoError("xms_rawMove");
    }

printf("%s", buff);

//
//   Now pick up the third piece:
//
if (xms_rawMove(SegOffToPhys(buff), physAddr3+800, 72)) {
    xms_demoError("xms_rawMove");
    }

printf("%s", buff);

//
//   Now pick up the fourth piece:
//
if (xms_rawMove(SegOffToPhys(buff), physAddr4+212, 72)) {
    xms_demoError("xms_rawMove");
    }

printf("%s", buff);

//
//   Now unlock the blocks.
//
if (xms_unlockXM(handle1)) {
    xms_demoError("xms_unlockXM");
    }
if (xms_unlockXM(handle2)) {
    xms_demoError("xms_unlockXM");
    }
if (xms_unlockXM(handle3)) {
    xms_demoError("xms_unlockXM");
    }
if (xms_unlockXM(handle4)) {
    xms_demoError("xms_unlockXM");
    }

//
//   Free up the blocks of memory.
//
if (xms_freeXM(handle1)) {
    xms_demoError("xms_freeXM");
    }
if (xms_freeXM(handle2)) {
    xms_demoError("xms_freeXM");
    }
if (xms_freeXM(handle3)) {
    xms_demoError("xms_freeXM");
    }
if (xms_freeXM(handle4)) {
    xms_demoError("xms_freeXM");
    }

}
```

PROG5-7.C demonstrates the following feature:

- Moving data to and from upper memory.

Figure 5-7 presents the source code listing to PROG5-7.C.

**5-7**  The source code listing to PROG5-7.C.

```
//////////////////////////////////////
//
// prog5-7.c
//
//  Demonstrates use of move to/from Upper Memory
//
//////////////////////////////////////

/////////////////////////
// include standard
// I/O functions

#include <stdio.h>
#include <stdlib.h>
#include <string.h>
#include <dos.h>

/////////////////////////
//
// include xms memory
// management header
// files

#include "gdefs.h"
#include "xms.h"

/////////////////////////
// begin program


void main()
{
    char    *block1;
    char    *block2;
    char    *block3;
    char    *block4;
    char    *block5;

    char    *text;

    WORD    actualSize;

    //
    //  Attempt to initialize XMS. If there is an error, report it.
    //
    if (xms_init()) {
        printf("XMS is not present\n");
        }

    //
    //  Now allocate 5 128 byte blocks of Upper Memory
```

```
//
if (xms_allocUM(8, (void **) &block1, &actualSize)) {
    printf("    Biggest block available was %d bytes\n",
            actualSize * 16);
    xms_demoError("xms_allocUM");
    }
if (xms_allocUM(8, (void **) &block2, &actualSize)) {
    printf("    Biggest block available was %d bytes\n",
            actualSize * 16);
    xms_demoError("xms_allocUM");
    }
if (xms_allocUM(8, (void **) &block3, &actualSize)) {
    printf("    Biggest block available was %d bytes\n",
            actualSize * 16);
    xms_demoError("xms_allocUM");
    }
if (xms_allocUM(8, (void **) &block4, &actualSize)) {
    printf("    Biggest block available was %d bytes\n",
            actualSize * 16);
    xms_demoError("xms_allocUM");
    }
if (xms_allocUM(8, (void **) &block5, &actualSize)) {
    printf("    Biggest block available was %d bytes\n",
            actualSize * 16);
    xms_demoError("xms_allocUM");
    }

//
//  Now let's copy some text into various places in the
//  UM blocks, and then copy it back and print it out.
//

//
//  Set up a pointer to a string:
//
text=
"We the people of the United States, in order to form a more perfect Union,\n";

//
// Move it to block 1
//
strcpy(block1, text);

//
//  Now put the next string into the next UM block:
//
text=
"establish justice, insure domestic tranquility, provide for the common\n";
    strcpy(block2, text);

//
//  And something for the the third block:
//
text=
"defense, promote the general welfare, and secure the blessings of liberty\n";
    strcpy(block3, text);

//
//  Now the fourth block;
//
```

```
    text=
"to ourselves and our posterity do ordain and establish this Constitution\n";
    strcpy(block4, text);

    //
    //   And the fifth and final block:
    //
    text= "for the United States of America.\n";
    strcpy(block5, text);

    //
    //   Now we've copies four strings into UM blocks.
    //
    //   Let's retrieve them and print them out.
    //
    printf("%s", block1);
    printf("%s", block2);
    printf("%s", block3);
    printf("%s", block4);
    printf("%s", block5);

    //
    //   Free up the blocks of memory.
    //
    if (xms_freeUM(block1)) {
        xms_demoError("xms_freeUM");
        }
    if (xms_freeUM(block2)) {
        xms_demoError("xms_freeUM");
        }
    if (xms_freeUM(block3)) {
        xms_demoError("xms_freeUM");
        }
    if (xms_freeUM(block4)) {
        xms_demoError("xms_freeUM");
        }
    if (xms_freeUM(block5)) {
        xms_demoError("xms_freeUM");
        }

}
```

PROG5-8.C demonstrates the following feature:

- Resizing of XMS blocks.

Figure 5-8 presents the source code listing to PROG5-8.C.

**5-8**  The source code listing to PROG5-8.C.

```
////////////////////////////////////////
//
//  prog5-8.c
//
//  Demonstrates resizing blocks and getting block info
//
////////////////////////////////////////
```

```
////////////////////////
// include standard
// I/O functions

#include <stdio.h>
#include <stdlib.h>
#include <dos.h>

////////////////////////
//
// include xms memory
// management header
// files

#include "gdefs.h"
#include "xms.h"

////////////////////////
// begin program


void main()
{

    WORD    lockCount;
    WORD    numFreeHandles;
    WORD    blockSize;

    WORD    handle1;
    WORD    handle2;
    WORD    handle3;

    DWORD   physAddr1;
    DWORD   physAddr2;
    DWORD   physAddr3;

    //
    //  Attempt to initialize XMS. If there is an error, report it.
    //
    if (xms_init()) {
        printf("XMS is not present\n");
        }

    //
    //  Print header:
    //
    printf(
"                                    Address      Size (bytes)  Locks\n");
    printf(
"===========================|==============|==============|======|\n");

    //
    //  Allocate three blocks:
    //
    if (xms_allocXM(16, &handle1)) {
        xms_demoError("xms_allocXM");
        }
    if (xms_allocXM(16, &handle2)) {
        xms_demoError("xms_allocXM");
```

```
        }
    if (xms_allocXM(16, &handle3)) {
        xms_demoError("xms_allocXM");
        }


    //
    //   Now lock 'em and get their physical addresses.
    //
    if (xms_lockXM(handle1, &physAddr1)) {
        xms_demoError("xms_lockXM");
        }
    if (xms_lockXM(handle2, &physAddr2)) {
        xms_demoError("xms_lockXM");
        }
    if (xms_lockXM(handle3, &physAddr3)) {
        xms_demoError("xms_lockXM");
        }


    //
    //   Now one by one get info on them:
    //
    if (xms_getHandInfo(handle1, &blockSize, &numFreeHandles, &lockCount)) {
        xms_demoError("xms_getHandInfo");
        }
    printf("After allocation: block 1 |   0x%-61X   |   0x%-6X   |  %3d |\n",
            physAddr1,
            blockSize*1024,
            lockCount);

    printf(
"                  --------|--------------|--------------|------|\n");

    if (xms_getHandInfo(handle2, &blockSize, &numFreeHandles, &lockCount)) {
        xms_demoError("xms_getHandInfo");
        }
    printf("                  block 2 |   0x%-61X   |   0x%-6X   |  %3d |\n",
            physAddr2,
            blockSize*1024,
            lockCount);

    printf(
"                  --------|--------------|--------------|------|\n");

    if (xms_getHandInfo(handle3, &blockSize, &numFreeHandles, &lockCount)) {
        xms_demoError("xms_getHandInfo");
        }
    printf("                  block 3 |   0x%-61X   |   0x%-6X   |  %3d |\n",
            physAddr3,
            blockSize*1024,
            lockCount);
    printf(
"==========================|==============|==============|======|\n");

    //
    //   Now let's resize the middle block and see what happens.
    //   First, however, we want to unlock all of the blocks so
    //   that they can move as necessary.
    //
    if (xms_unlockXM(handle1)) {
```

```
                xms_demoError("xms_unlockXM");
                }
        if (xms_unlockXM(handle2)) {
                xms_demoError("xms_unlockXM");
                }
        if (xms_unlockXM(handle3)) {
                xms_demoError("xms_unlockXM");
                }

        //
        //  Do the resize:
        //
        if (xms_resizeXM(handle2, 32)) {
                xms_demoError("xms_resizeXM");
                }

        //
        //  Lock them all again.
        //
        if (xms_lockXM(handle1, &physAddr1)) {
                xms_demoError("xms_lockXM");
                }
        if (xms_lockXM(handle2, &physAddr2)) {
                xms_demoError("xms_lockXM");
                }
        if (xms_lockXM(handle3, &physAddr3)) {
                xms_demoError("xms_lockXM");
                }

        //
        //  Now report on the new situation.
        //
        if (xms_getHandInfo(handle1, &blockSize, &numFreeHandles, &lockCount)) {
                xms_demoError("xms_getHandInfo");
                }
        printf("After resize:      block 1 |   0x%-61X   |   0x%-6X   |  %3d |\n",
                physAddr1,
                blockSize*1024,
                lockCount);

        printf(
"
                         --------|--------------|--------------|------|\n");

        if (xms_getHandInfo(handle2, &blockSize, &numFreeHandles, &lockCount)) {
                xms_demoError("xms_getHandInfo");
                }
        printf("                   block 2 |   0x%-61X   |   0x%-6X   |  %3d |\n",
                physAddr2,
                blockSize*1024,
                lockCount);

        printf(
"
                         --------|--------------|--------------|------|\n");

        if (xms_getHandInfo(handle3, &blockSize, &numFreeHandles, &lockCount)) {
                xms_demoError("xms_getHandInfo");
                }
        printf("                   block 3 |   0x%-61X   |   0x%-6X   |  %3d |\n",
                physAddr3,
                blockSize*1024,
```

```
          lockCount);
    printf(
"============================|==============|==============|======f\n");


//
//  Unlock the blocks:
//
if (xms_unlockXM(handle1)) {
    xms_demoError("xms_unlockXM");
    }
if (xms_unlockXM(handle2)) {
    xms_demoError("xms_unlockXM");
    }
if (xms_unlockXM(handle3)) {
    xms_demoError("xms_unlockXM");
    }


//
//  And free them
//
if (xms_freeXM(handle1)) {
    xms_demoError("xms_freeXM");
    }
if (xms_freeXM(handle2)) {
    xms_demoError("xms_freeXM");
    }
if (xms_freeXM(handle3)) {
    xms_demoError("xms_freeXM");
    }

}
```

# XMS-related function
# prototypes, macros, and error defines

Figure 5-9 presents the source code listing to XMS.H. This file contains the
function prototypes, macros, and error code defines for your XMS library.

5-9 The source code listing to XMS.H.

```
///////////////////////////////////////
//
// xms.h
//
// XMS related definitions,
// structures and function prototypes
//
///////////////////////////////////////


//
//  Define a type or two:
//
typedef struct {

    DWORD       length;         // memory length
    WORD        srcHandle;      // source handle (0 means < 1MB boundary)
    DWORD       srcOffset;      // source offset
```

```
WORD        destHandle;     // destination handle (0 means < 1MB)
DWORD       destOffset;     // destination offset

}   XMS_MovePacket;

//
//  Define XMS initialization routine.
//
int     xms_init(void);
int     xms_getVersion(WORD *xmsVersion, WORD *xmmVersion, WORD *hmaFlag);
int     xms_rawMove(DWORD dest, DWORD source, WORD length);
int     xms_allocHMA(WORD hmaBytes);
int     xms_freeHMA(void);
int     xms_globEnabA20(void);
int     xms_globDisabA20(void);
int     xms_getA20State(WORD *a20State);
int     xms_getFreeXM(WORD *totalFree, WORD *largestFree);
int     xms_allocXM(WORD blockSize, WORD *handle);
int     xms_freeXM(WORD handle);
int     xms_moveXM(XMS_MovePacket *packet);
int     xms_lockXM(WORD handle, DWORD *physAddr);
int     xms_unlockXM(WORD handle);
int     xms_getHandInfo(WORD handle, WORD *blockSize,
                                    WORD *handlesLeft, WORD *lockCount);
int     xms_resizeXM(WORD handle, WORD newSize);
int     xms_allocUM(WORD size, void **address, WORD *actualSize);
int     xms_freeUM(void *address);
char    *xms_errorText(WORD error);
void    xms_demoError(char *function);

//
//  Define the XMS page size
//
#define XMS_PAGE_SIZE       1024


//
//  Define the XMS error codes.
//
#define XMSErrOK            0x00    // No Error
#define XMSErrUnimp         0x80    // Unimplemented function
#define XMSErrVDISK         0x81    // VDISK device detected
#define XMSErrA20           0x82    // A20 error
#define XMSErrNoHMA         0x90    // HMA does not exist
#define XMSErrHMAInUse      0x91    // HMA already in use
#define XMSErrHMAMin        0x92    // HMA space req. < /HMAMIN= parameter
#define XMSErrHMANotAll     0x93    // HMA not allocated
#define XMSErrA20Enab       0x94    // A20 still enabled
#define XMSErrNoXMLeft      0x0A0   // All XM allocated
#define XMSErrNoHandles     0x0A1   // All handles are allocated
#define XMSErrHandInv       0x0A2   // Invalid handle
#define XMSErrSHandInv      0x0A3   // Invalid Source Handle
#define XMSErrSOffInv       0x0A4   // Invalid Source Offset
#define XMSErrDHandInv      0x0A5   // Invalid Dest Handle
#define XMSErrDOffInv       0x0A6   // Invalid Dest Offset
#define XMSErrLenInv        0x0A7   // Invalid Length
#define XMSErrOverlap       0x0A8   // Invalid move overlap
#define XMSErrParity        0x0A9   // Parity error
#define XMSErrNoLock        0x0AA   // Handle not locked
#define XMSErrLock          0x0AB   // Handle Locked
#define XMSErrLockOvflo     0x0AC   // Lock count overflo
```

```
#define XMSErrLockFail      0x0AD    // Lock fail
#define XMSErrSmUMB         0x0B0    // Smaller UMB available
#define XMSErrNoUMB         0x0B1    // No UMB's available
#define XMSErrUMBInv        0x0B2    // Invalid UMB segment
```

## An XMS definition file

Figure 5-10 presents the source code listing to XMSDEFS.ASM. This file contains defines used by the XMS*xx*.ASM files.

**5-10** The source code listing to XMSDEFS.ASM.

```
;**************************************************
;***                                           ***
;***     XmsDefs.ASM                           ***
;***                                           ***
;***     Contains definitions for XMS routines ***
;***                                           ***
;**************************************************


;
;   Define the extended function interrupt which gives us the
;   XMS handler address:
;
XFunc        equ     2fh


;
;   Define the function code for XMS, and the two sub-codes:
;
XFuncXMS        equ     43h
XFuncXMSPres    equ     0h
XFuncXMSEntry   equ     10h


;
;   Define the XMSPresent response:
;
XMSPresent      equ     80h


;
;   Now define the 2.0 XMS function codes.
;   These are 8 bit values which are loaded into
;   AH before calling the XMS handler (the address of which
;   was determined using XFuncXMSEntry int).
;
XMSGetVersion    equ     00h
XMSAllocHMA      equ     01h
XMSFreeHMA       equ     02h
XMSGlobEnabA20   equ     03h
XMSGlobDisabA20  equ     04h
XMSLocEnabA20    equ     05h
XMSLocDisabA20   equ     06h
XMSGetA20State   equ     07h
XMSGetFreeXM     equ     08h
XMSAllocXM       equ     09h
XMSFreeXM        equ     0ah
XMSMoveXM        equ     0bh
```

```
                XMSLockXM         equ      0ch
                XMSUnlockXM       equ      0dh
                XMSGetHandInfo    equ      0eh
                XMSResizeXM       equ      0fh
                XMSAllocUM        equ      10h
                XMSFreeUM         equ      11h

                ;
                ;    Now define the XMS error codes:
                ;
                XMSErrOK          equ      00h      ; No error
                XMSErrUnimp       equ      80h      ; Unimplemented function
                XMSErrVDISK       equ      81h      ; VDISK device detected
                XMSErrA20         equ      82h      ; A20 error
                XMSErrNoHMA       equ      90h      ; HMA does not exist
                XMSErrHMAInUse    equ      91h      ; HMA already in use
                XMSErrHMAMin      equ      92h      ; HMA space req. < /HMAMIN= parameter
                XMSErrHMANotAll   equ      93h      ; HMA not allocated
                XMSErrA20Enab     equ      94h      ; A20 still enabled
                XMSErrNoXMLeft    equ      0A0h     ; All XM allocated
                XMSErrNoHandles   equ      0A1h     ; All handles are allocated
                XMSErrHandInv     equ      0A2h     ; Invalid handle
                XMSErrSHandInv    equ      0A3h     ; Invalid Source Handle
                XMSErrSOffInv     equ      0A4h     ; Invalid Source Offset
                XMSErrDHandInv    equ      0A5h     ; Invalid Dest Handle
                XMSErrDOffInv     equ      0A6h     ; Invalid Dest Offset
                XMSErrLenInv      equ      0A7h     ; Invalid Length
                XMSErrOverlap     equ      0A8h     ; Invalid move overlap
                XMSErrParity      equ      0A9h     ; Parity error
                XMSErrNoLock      equ      0AAh     ; Handle not locked
                XMSErrLock        equ      0ABh     ; Handle Locked
                XMSErrLockOvflo   equ      0ACh     ; Lock count overflo
                XMSErrLockFail    equ      0ADh     ; Lock fail
                XMSErrSmUMB       equ      0B0h     ; Smaller UMB available
                XMSErrNoUMB       equ      0B1h     ; No UMB's available
                XMSErrUMBInv      equ      0B2h     ; Invalid UMB segment


                ;
                ;    Define the Bios interrupt and function codes
                ;
                XMSBios           equ      15h


                ;
                ;    Define the two function codes
                ;
                XMSBiosXMMove     equ      87h      ; Move a block of XMS
                XMSBiosXMSize     equ      88h      ; Get size of extended memory


                ;
                ;    Define the access byte
                ;
                XMSBiosAccess     equ      93h      ; The "correct" access byte
```

## Initializing XMS

Figure 5-11 presents the source code listing to XMSINIT.ASM.

Function xms_init(...) initializes XMS for use by your XMS library. It should be called before any other XMS library functions are called.

## Function xms_init(...)

```
error = xms__init( );
```

**5-11**  The source code listing to XMSINIT.ASM.

```
;******************************************************************
;***      XMSINIT.ASM                                      ***
;***                                                       ***
;***      int xms_init()                                   ***
;***                                                       ***
;***      Initializes the XMS interface. Returns a zero    ***
;***      if interface successfully initialized.           ***
;***                                                       ***
;******************************************************************

;----------------------------------------
;
; Declare memory model and language
;

        .Model  Large,C

;----------------------------------------
;
; Include xms definition file
;

        include xmsdefs.asm

;----------------------------------------
;
; Declare error WORD as extrn to this
; module
;

        extrn   errno:WORD

;----------------------------------------
;
; Declare function as PUBLIC
;

        public  xms_init
        public  xmsHandler

        .Data

;
; Define the xmsHandler address which will be used
; for calls to XMS.
;
xmsHandler      dd      xms_defaultHandler

;----------------------------------------
;
; Begin code segment
;

        .Code
```

```
xms_init    proc

        mov     ah,XFuncXMS       ; XMS functions
        mov     al,XFuncXMSPres   ; Determine is XMS present
        int     XFunc             ; Call extended functions
        cmp     al,XMSPresent     ; See if it's there
        jne     noXMS             ; Nope, return an error

;
;       It's there, so let's get the handler address:
;
        mov     ah,XFuncXMS       ; XMS functions
        mov     al,XFuncXMSEntry; Get handler entry point
        int     XFunc             ; Call extended functions

        mov     word ptr xmsHandler,bx       ; Handler offset
        mov     word ptr xmsHandler+2,es     ; Handler segment

        mov     ax,XMSErrOK       ; no error
        ret

noXMS:
        mov     ax,XMSErrUnimp    ; No XMS (Unimplemented function)
        mov     errno,ax          ; Copy to errno
        ret

xms_init    endp                  ; end of procedure

;
;       The xms_default_handler is used so that a call to
;       xmsHandler before XMS is initialized will return an
;       error. This is replaced by the actual handler when
;       xms_init is called.
;
xms_defaultHandler      proc

        xor     ax,ax             ; ax to zero means error
        mov     bl,XMSErrUnimp    ; Unimplemented function
        ret

xms_defaultHandler      endp

        End                       ; end of source file
```

# Special functions
## Getting the XMS version number

Figure 5-12 presents the source code listing to XMS00.ASM.

This source file contains the code to function xms_getVersion(...). This function returns via WORD pointers a 16-bit BCD number representing the revision of the XMS version and indicates the existence of the HMA.

### Function xms_getVersion(...)

error = xms_getVersion(WORD *xmsVer, WORD *xmmVer, WORD *hma);

where

xmsVer  Receives the XMS driver internal revision number.

xmmVer  Receives the extended memory manager revision number.

hma  Receives a value of 1 if the HMA exists or a 0 if the HMA does not exist.

**5-12**  The source code listing to XMS00.ASM.

```
;****************************************************************
;***      XMS00.ASM                                         ***
;***                                                        ***
;***      int xms_getVersion(WORD *xms_version,             ***
;***                         WORD *xmm_version,             ***
;***                         WORD *hma_flag);               ***
;***                                                        ***
;***      Returns the version number of the XMS, the XMM,   ***
;***      and indicates whether HMA is available.           ***
;***                                                        ***
;****************************************************************
;
        .model  large,C

        include xmsdefs.asm

        extrn   errno:WORD
        extrn   xmsHandler:DWord
;
;   Define entry point
;
        public  xms_getVersion

        .code

xms_getVersion  proc    xmsVer:Far Ptr Word, xmmVer: Far Ptr Word, HMAFlag: Far Ptr Word

        mov     ah,XMSGetVersion        ; Function code
        call    xmsHandler              ; call the guy

        or      ax,ax                   ; AX=0 means error
        jz      errorReturn

;
;   Save BX, which has the XMM version.
;
        mov     cx,bx

;
;   Now return the values.
;
        les     bx,xmsVer
        mov     es:[bx],ax              ; XMS version returned
        les     bx,xmmVer
        mov     es:[bx],cx              ; XMM version returned
        les     bx,HMAFlag
        mov     es:[bx],dx              ; HMA indicator

        mov     ax,XMSErrOK             ; No error
        ret

errorReturn:
```

```
        mov     al,bl               ; Move error code to AL
        xor     ah,ah               ; Zero extend to 16 bits
        mov     errno,ax            ; Copy to errno
        ret

xms_getVersion   endp               ; end of procedure

        end
```

## Requesting HMA (High Memory Area)

Figure 5-13 presents the source code listing to XMS01.ASM.

This source file holds the code to function xms_allocHMA(...). This function attempts to reserve a maximum of 0xFFF0 bytes in the HMA for the calling program.

### Function xms_allocHMA(...)

error = xms_allocHMA(WORD num);

where

numm    Holds 0xFFFF if caller is application program, or byte number required if caller is TSR.

**5-13**   The source code listing to XMS01.ASM.

```
;****************************************************************
;***    XMS01.ASM                                           ***
;***                                                        ***
;***    int xms_allocHMA(WORD hmaBytes)                     ***
;***                                                        ***
;***    Allocates the High Memory Area to the program.      ***
;***    HmaBytes specifies the amount of HMA which the      ***
;***    the program intends to use. If it asks for a        ***
;***    sufficient amount, the request will be granted.     ***
;***                                                        ***
;****************************************************************

        .model  large,C

        include xmsdefs.asm

        extrn   errno:WORD
        extrn   xmsHandler:DWord

;
;   Define entry point
;
        public  xms_allocHMA

        .code

xms_allocHMA    proc    hmaBytes:Word

        mov     dx,hmaBytes         ; Amount the app expects to use
        mov     ah,XMSAllocHMA      ; Function code
        call    xmsHandler          ; call the guy
```

```
        or      ax,ax               ; AX=0 means error
        jz      errorReturn

        mov     ax,XMSErrOK         ; No error
        ret

errorReturn:
        mov     al,bl               ; Move error code to AL
        xor     ah,ah               ; Zero extend to 16 bits
        mov     errno,ax            ; Copy to errno
        ret

xms_allocHMA    endp                ; end of procedure

        End
```

## Releasing HMA (High Memory Area)

Figure 5-14 presents the source code listing to XMS02.ASM.

This source file holds the code to function xms_freeHMA(...). This function allows a program to release the HMA area for use by other programs.

### Function xms_freeHMA(...)

error = xms_freeHMA( );

5-14   The source code listing to XMS02.ASM.

```
;****************************************************************
;***    XMS02.ASM                                           ***
;***                                                        ***
;***    int xms_freeHMA()                                   ***
;***                                                        ***
;***    Frees the High Memory Area.                         ***
;***                                                        ***
;****************************************************************

        .model  large,C

        include xmsdefs.asm

        extrn   errno:WORD
        extrn   xmsHandler:DWord

;
;   Define entry point
;
        public  xms_freeHMA

        .code

xms_freeHMA     proc

        mov     ah,XMSFreeHMA       ; Function code
        call    xmsHandler          ; call the guy

        or      ax,ax               ; AX=0 means error
        jz      errorReturn
```

```
        mov      ax,XMSErrOK          ; No error
        ret

errorReturn:
        mov      al,bl                ; Move error code to AL
        xor      ah,ah                ; Zero extend to 16 bits
        mov      errno,ax             ; Copy to errno
        ret

xms_freeHMA      endp                 ; end of procedure

        End
```

## Enabling global A20

Figure 5-15 holds the source code listing to XMS03.ASM.

This source file holds the code to function xms—globEnabA20(...). This function attempts to enable the A20 line. It should only be used by those programs that have control of the HMA.

### Function xms—globEnabA20(...)

errno = xms—globEnabA20( );

**5-15** The source code listing to XMS03.ASM.

```
;****************************************************************
;***    XMS03.ASM                                           ***
;***                                                         ***
;***    int xms_globEnabA20()                                ***
;***                                                         ***
;***    Enables the A20 address line allowing 21 bit         ***
;***    addressing and access to the HMA                     ***
;***                                                         ***
;****************************************************************

        .model   large,C

        include xmsdefs.asm

        extrn    errno:WORD
        extrn    xmsHandler:DWord

;
;   Define entry point
;
        public  xms_globEnabA20

        .code

xms_globEnabA20 proc

        mov      ah,XMSGlobEnabA20    ; Function code
        call     xmsHandler           ; call the guy

        or       ax,ax                ; AX=0 means error
        jz       errorReturn

        mov      ax,XMSErrOK          ; No error
        ret
```

```
errorReturn:
        mov     al,bl               ; Move error code to AL
        xor     ah,ah               ; Zero extend to 16 bits
        mov     errno,ax            ; Copy to errno
        ret

xms_globEnabA20 endp                ; end of procedure

        End
```

## Disabling global A20

Figure 5-16 holds the source code listing to XMS04.ASM.

This source file holds the code to function xms_globDisabA20(...). This function attempts to disable the A20 line. It should only be used by those programs that have control of the HMA.

### Function xms_globDisabA20(...)

errno = xms_globDisabA20( );

**5-16** The source code listing to XMS04.ASM.

```
;***************************************************************
;***                                                        ***
;***     XMS04.ASM                                          ***
;***                                                        ***
;***     int xms_globDisabA20()                             ***
;***                                                        ***
;***     Disables the A20 address line.                     ***
;***                                                        ***
;***************************************************************

        .model  large,C

        include xmsdefs.asm

        extrn   errno:WORD
        extrn   xmsHandler:DWord

;
;   Define entry point
;
        public  xms_globDisabA20

        .code

xms_globDisabA20        proc

        mov     ah,XMSGlobDisabA20  ; Function code
        call    xmsHandler          ; call the guy

        or      ax,ax               ; AX=0 means error
        jz      errorReturn

        mov     ax,XMSErrOK         ; No error
        ret
```

```
errorReturn:
        mov     al,bl                   ; Move error code to AL
        xor     ah,ah                   ; Zero extend to 16 bits
        mov     errno,ax                ; Copy to errno
        ret

xms_globDisabA20        endp            ; end of procedure

        End
```

## Getting A20 state

Figure 5-17 presents the source code listing to XMS07.ASM.

**5-17**  The source code listing to XMS07.ASM.

```
;****************************************************************
;***     XMS07.ASM                                         ***
;***                                                        ***
;***     int xms_getA20State(WORD *a20State)                ***
;***                                                        ***
;***     Returns the enable status of the A20 line.         ***
;***     A20State is TRUE (1) on return if A20 is enabled,   ***
;***     otherwise it is FALSE (0).                         ***
;***                                                        ***
;****************************************************************

        .model  large,C

        include xmsdefs.asm

        extrn   errno:WORD
        extrn   xmsHandler:DWord

;
;   Define entry point
;
        public  xms_getA20State

        .code

xms_getA20State proc    a20State:Far Ptr Word

        mov     ah,XMSGetA20State       ; Function code
        call    xmsHandler              ; call the guy

        or      ax,ax                   ; AX=0 may mean error
        jnz     goodReturn              ; AX<>0 means A20 enabled
        or      bl,bl                   ; BL<>0 means error
        jnz     errorReturn

goodReturn:
        les     bx,a20State             ; Address to return result
        mov     es:[bx],ax              ; Flag gives A20 state
        mov     ax,XMSErrOK             ; No error
        ret

errorReturn:
        mov     al,bl                   ; Move error code to AL
        xor     ah,ah                   ; Zero extend to 16 bits
```

```
        mov     errno,ax                ; Copy to errno
        ret

xms_getA20State endp                    ; end of procedure

        End
```

This source file holds the code to function xms_getA20State(...). This function checks to see if the A20 line is in fact enabled.

### Function xms_getA20State(...)

error = xms_getA20State(WORD *state);

where

state   Receives a 1 if A20 is enabled or a 0 if A20 is disabled.

## Getting free extended memory

Figure 5-18 presents the source code listing to XMS08.ASM.

This source listing presents the code to function xms_getFreeXM(...). This function returns to WORD pointers the total amount of free XMS and the largest free XMS block in kilobytes.

### Function xms_getFreeXM(...)

error = xms_getFreeXM(WORD *total,WORD *largest);

where

total     Receives the total free XMS in kilobytes.
largest  Receives the largest free XMS block in kilobytes.

**5-18**  The source code listing to XMS08.ASM.

```
;******************************************************************
;***     XMS08.ASM                                        ***
;***                                                      ***
;***     int xms_getFreeXM()                              ***
;***                                                      ***
;***     Queries the amount of extended memory available. ***
;***                                                      ***
;******************************************************************

        .model  large,C

        include xmsdefs.asm

        extrn   errno:WORD
        extrn   xmsHandler:DWord

;
;   Define entry point
;
        public  xms_getFreeXM
```

```
            .code

xms_getFreeXM    proc    total:Far Ptr Word, largest: Far Ptr Word

        mov     ah,XMSGetFreeXM     ; Function code
        call    xmsHandler          ; call the guy

        or      ax,ax               ; AX=0 means error
        jz      errorReturn

;
;       Now return the values.
;
        les     bx,total
        mov     es:[bx],dx          ; total free memory in KB
        les     bx,largest
        mov     es:[bx],ax          ; largest free block

        mov     ax,XMSErrOK         ; No error
        ret

errorReturn:
        mov     al,bl               ; Move error code to AL
        xor     ah,ah               ; Zero extend to 16 bits
        mov     errno,ax            ; Copy to errno
        ret

xms_getFreeXM    endp               ; end of procedure

        End
```

## Allocating an Extended Memory Block

Figure 5-19 presents the source code listing to XMS09.ASM.

This source file presents the code to function xms_allocXM(...). This function requests the XMS memory in kilobyte blocks and returns via pointer a handle to the newly allocated XMS memory.

### Function xms_allocXM(...)

error = xms_allocXM(WORD size, WORD *handle);

where

size    The number of kilobytes of XMS memory requested.
handle  Receives the XMS handle.

**5-19**  The source code listing to XMS09.ASM.

```
;*********************************************************************
;***     XMS09.ASM                                              ***
;***                                                            ***
;***     int xms_allocXM(WORD blockSize, WORD *handle)          ***
;***                                                            ***
;***     Allocates a block of extended memory blockSize KB      ***
;***     long which can be referenced via handle.               ***
;***                                                            ***
;*********************************************************************
```

```
        .model  large,C

        include xmsdefs.asm

        extrn   errno:WORD
        extrn   xmsHandler:DWord

;
;   Define entry point
;
        public  xms_allocXM

        .code

xms_allocXM     proc    blockSize:Word, handle: Far Ptr Word

        mov     dx,blockSize        ; size in KB of block
        mov     ah,XMSAllocXM       ; Function code
        call    xmsHandler          ; call the guy

        or      ax,ax               ; AX=0 means error
        jz      errorReturn

        les     bx,handle
        mov     es:[bx],dx          ; new handle

        mov     ax,XMSErrOK         ; No error
        ret

errorReturn:
        mov     al,bl               ; Move error code to AL
        xor     ah,ah               ; Zero extend to 16 bits
        mov     errno,ax            ; Copy to errno
        ret

xms_allocXM     endp                ; end of procedure

        End
```

## Freeing an Extended Memory Block

Figure 5-20 presents the source code listing to XMSOA.ASM.

This source file presents the code to function xms_freeXM(...). This function frees previously allocated XMS memory referred to by the designated handle.

### Function xms_freeXM(...)

error = xms_freeXM(WORD handle);

where

handle   Previously allocated XMS handle.

**5-20** The source code listing to XMS0A.ASM.

```
;****************************************************************
;***     XMS0A.ASM                                          ***
;***                                                        ***
;***     int xms_freeXM(WORD handle)                        ***
;***                                                        ***
;***     Frees an exteded memory block referred to by       ***
;***     handle.                                            ***
;***                                                        ***
;****************************************************************

        .model  large,C

        include xmsdefs.asm

        extrn   errno:WORD
        extrn   xmsHandler:DWord

;
;   Define entry point
;
        public  xms_freeXM

        .code

xms_freeXM      proc    handle:Word

        mov     dx,handle       ; get the block's handle
        mov     ah,XMSFreeXM    ; Function code
        call    xmsHandler      ; call the guy

        or      ax,ax           ; AX=0 means error
        jz      errorReturn

        mov     ax,XMSErrOK     ; No error
        ret

errorReturn:
        mov     al,bl           ; Move error code to AL
        xor     ah,ah           ; Zero extend to 16 bits
        mov     errno,ax        ; Copy to errno
        ret

xms_freeXM      endp            ; end of procedure

        End
```

## Moving an Extended Memory Block

Figure 5-21 presents the source code listing to XMS0B.ASM.

This source file contains the code to function xms_moveXM(...). This function attempts to transfer memory from one location to another location. Although it is most commonly used to move memory between conventional memory and extended memory, it can also be used for memory moves within conventional memory or extended memory.

**5-21** The source code listing to XMS0B.ASM.

```
;****************************************************************
;***      XMS0B.ASM                                      ***
;***                                                      ***
;***      int xms_moveXM(XMS_move_packet *packet)         ***
;***                                                      ***
;***      Frees an exteded memory block referred to by    ***
;***      handle.                                         ***
;***                                                      ***
;****************************************************************

        .model  large,C

        include xmsdefs.asm

        extrn   errno:WORD
        extrn   xmsHandler:DWord

;
;   Define entry point
;
        public  xms_moveXM

        .code

xms_moveXM      proc    packet:Far Ptr Word

        ;   We are required to pass the packet address in DS:SI.
        ;   As a result, we need to save DS. Further, we need to
        ;   copy DS to ES, so that we can find the address of the
        ;   xmsHandler when we need it.

        push    si              ; Save SI

        push    ds              ; Move DS to ES
        pop     es

        lds     si,packet       ; DS:SI gets packet address

        mov     ah,XMSMoveXM    ; Function code
        call    es:xmsHandler   ; call the guy

        push    es              ; restore DS
        pop     ds

        or      ax,ax           ; AX=0 means error
        jz      errorReturn

        mov     ax,XMSErrOK     ; No error
        pop     si              ; Restore SI
        ret

errorReturn:
        mov     al,bl           ; Move error code to AL
        xor     ah,ah           ; Zero extend to 16 bits
```

```
        mov     errno,ax            ; Copy to errno
        pop     si                  ; Restore SI
        ret

xms_moveXM      endp                ; end of procedure

        End
```

### Function xms_moveXM(...)

error = xms_moveXM(XMS_MovePacket *packet);

where

packet    Points to an XMS_MovePacket structure (see XMS.H, FIG. 5-9, for
          the XMS_MovePacket structure).

## Locking an Extended Memory Block

Figure 5-22 presents the source code listing to XMS0C.ASM.

**5-22** The source code listing to XMS0C.ASM.

```
;*****************************************************************
;***     XMS0C.ASM                                          ***
;***                                                        ***
;***     int xms_lockXM(WORD handle, DWORD *physAddr)       ***
;***                                                        ***
;***     Locks an extended memory block, preventing it from ***
;***     moving in physical memory, and returns its         ***
;***     physical address.                                  ***
;***                                                        ***
;*****************************************************************

        .model  large,C

        include xmsdefs.asm

        extrn   errno:WORD
        extrn   xmsHandler:DWord

;
;   Define entry point
;
        public  xms_lockXM

        .code

xms_lockXM      proc    handle:Word, physAddr: Far Ptr DWord

        mov     dx,handle           ; handle of block to lock
        mov     ah,XMSLockXM        ; Function code
        call    xmsHandler          ; call the guy

        or      ax,ax               ; AX=0 means error
        jz      errorReturn

        mov     ax,bx               ; Save LSW ofphysical address
        les     bx,physAddr         ; Get addr of long return val
```

```
        mov     es:[bx],ax          ; LSW physical address
        mov     es:[bx+2],dx        ; MSW physical address

        mov     ax,XMSErrOK         ; No error
        ret

errorReturn:
        mov     al,bl               ; Move error code to AL
        xor     ah,ah               ; Zero extend to 16 bits
        mov     errno,ax            ; Copy to errno
        ret

xms_lockXM      endp                ; end of procedure

        End
```

This source file presents the code to function xms_lockXM(...). This function locks an extended memory block so it may not be moved in physical memory. The 32-bit physical address is returned via a DWORD pointer.

### Function xms_lockXM(...)

error = xms_lockXM(WORD handle, DWORD *addr);

where

handle    The previously allocated XMS handle.
addr      Receives the 32-bit physical address of XMS.

## Unlocking an Extended Memory Block

Figure 5-23 presents the source code listing to XMS0D.ASM.

This source file presents the code to function xms_unlockXM(...). This function unlocks an extended memory block so it may be moved in physical memory.

### Function xms_unlockXM(...)

error = xms_unlockXM(WORD handle);

where

handle    The previously allocated XMS handle.

5-23    The source code listing to XMS0D.ASM.

```
;****************************************************************
;***     XMS0D.ASM                                          ***
;***                                                        ***
;***     int xms_unlockXM(WORD handle)                      ***
;***                                                        ***
;***     Unlocks a previously locked memory block.          ***
;***                                                        ***
;****************************************************************

        .model  large,C
```

```
        include xmsdefs.asm

        extrn   errno:WORD
        extrn   xmsHandler:DWord

;
;   Define entry point
;
        public  xms_unlockXM

        .code

xms_unlockXM    proc    handle:Word

        mov     dx,handle           ; handle of block to lock
        mov     ah,XMSUnlockXM      ; Function code
        call    xmsHandler          ; call the guy

        or      ax,ax               ; AX=0 means error
        jz      errorReturn

        mov     ax,XMSErrOK         ; No error
        ret

errorReturn:
        mov     al,bl               ; Move error code to AL
        xor     ah,ah               ; Zero extend to 16 bits
        mov     errno,ax            ; Copy to errno
        ret

xms_unlockXM    endp                ; end of procedure

        End
```

## Getting extended memory handle information

Figure 5-24 presents the source code listing to XMS0E.ASM.

This source file contains the code to function xms__getHandleInfo(...).
This function returns the block's lock count, the number of free extended
memory block handles, and the block's length in kilobytes.

### Function xms__getHandleInfo(...)

error = xms__getHandleInfo(WORD handle,
                    WORD *size,
                    WORD *free,
                    WORD *count);

where

    handle    The previously allocated XMS handle.
    size    Receives the extended memory block size in kilobytes.
    free    Receives the number of free XMS handles.
    count    Receives block's lock count.

**5-24** The source code listing to XMS0E.ASM.

```
;****************************************************************
;***     XMS0E.ASM                                          ***
;***                                                        ***
;***     int     xms_getHandInfo(WORD handle,              ***
;***                             WORD *blockSize,           ***
;***                             WORD *handlesLeft,         ***
;***                             WORD *lockCount)           ***
;***                                                        ***
;***     Gets information about an allocated XM block.      ***
;***                                                        ***
;****************************************************************

        .model  large,C

        include xmsdefs.asm

        extrn   errno:WORD
        extrn   xmsHandler:DWord

;
;   Define entry point
;
        public  xms_getHandInfo

        .code

xms_getHandInfo proc    handle:Word, blSz:Far Ptr Word, nHand:Far Ptr Word, locks:Far Ptr Word

        mov     dx,handle           ; get the handle
        mov     ah,XMSGetHandInfo   ; Function code
        call    xmsHandler          ; call the guy

        or      ax,ax               ; AX=0 means error
        jz      errorReturn

;
;   Now return the values.
;
        mov     cx,bx               ; save BH and BL contents
        les     bx,blSz             ; Return the block size (KB)
        mov     es:[bx],dx

        les     bx,nHand            ; Return the number of free handles
        mov     al,cl               ; Zero extend to 16 bits
        xor     ah,ah
        mov     es:[bx],ax

        les     bx,locks            ; Return the number of locks on block
        mov     al,ch               ; Zero extend to 16 bits
        xor     ah,ah
        mov     es:[bx],ax

        mov     ax,XMSErrOK         ; No error
        ret

errorReturn:
        mov     al,bl               ; Move error code to AL
        xor     ah,ah               ; Zero extend to 16 bits
```

```
            mov     errno,ax              ; Copy to errno
            ret

xms_getHandInfo    endp                   ; end of procedure

        End
```

## Reallocating an Extended Memory Block

Figure 5-25 presents the source code listing to XMSOF.ASM.

This source file contains the code to function xms_resizeXM(...). This function alters the size of a previously allocated extended memory block.

### Function xms_resizeXM(...)

error = xms_resizeXM(WORD handle, WORD newsize);

where

handle    The previously allocated XMS handle.
newsize   Contains the new size for the extended memory block in kilo-
          bytes.

**5-25** The source code listing to XMSOF.ASM.

```
;*****************************************************************
;***      XMSOF.ASM                                          ***
;***                                                         ***
;***      int xms_resizeXM(WORD handle, WORD newSize)        ***
;***                                                         ***
;***      Changes the size of an already allocated block.    ***
;***                                                         ***
;*****************************************************************

        .model  large,C

        include xmsdefs.asm

        extrn   errno:WORD
        extrn   xmsHandler:DWord

;
;   Define entry point
;
        public  xms_resizeXM

        .code

xms_resizeXM    proc    handle:Word, newSize:Word

        mov     dx,handle             ; get handle
        mov     bx,newSize            ; new block size
        mov     ah,XMSResizeXM        ; Function code
        call    xmsHandler            ; call the guy

        or      ax,ax                 ; AX=0 means error
        jz      errorReturn
```

```
        mov     ax,XMSErrOK         ; No error
        ret

errorReturn:
        mov     al,bl               ; Move error code to AL
        xor     ah,ah               ; Zero extend to 16 bits
        mov     errno,ax            ; Copy to errno
        ret

xms_resizeXM    endp                ; end of procedure

        End
```

## Requesting an Upper Memory Block (UMB)

Figure 5-26 presents the source code listing to XMS10.ASM.

This source file contains the code to function xms__allocUM(...). This function requests a free UMB (in 16-byte paragraphs) and returns a pointer to an upper memory block and the actual size of the UMB is 16-byte paragraphs.

### Function xms__allocUM(...)

error = xms__allocUM(WORD size, void **ptr, WORD *actual);

where

size    The requested UMB size in 16-byte paragraphs.

ptr    Set to point to the UMB address.

actual    Receives the actual size of the allocated UMB in 16-byte paragraphs.

**5-26** The source code listing to XMS10.ASM.

```
;****************************************************************
;***    XMS10.ASM                                          ***
;***                                                       ***
;***    int xms_allocUM(WORD blockSize,                    ***
;***                    void **address,                    ***
;***                    WORD *actualSize)                  ***
;***                                                       ***
;***    Allocates a block of upper memory blockSize        ***
;***    paragraphs long. On successful return, address has ***
;***    the address of the block. If there is not enough   ***
;***    memory, actual size gives largest chunk available. ***
;***                                                       ***
;****************************************************************

        .model  large,C

        include xmsdefs.asm

        extrn   errno:WORD
        extrn   xmsHandler:DWord
```

```
;
;   Define entry point
;
        public  xms_allocUM

        .code

xms_allocUM     proc    blockSize:Word, address:Far Ptr DWord, actual:Far Ptr Word

        mov     dx,blockSize        ; size in KB of block
        mov     ah,XMSAllocUM       ; Function code
        call    xmsHandler          ; call the guy

        or      ax,ax               ; AX=0 means error
        jz      errorReturn

        mov     ax,bx               ; Save returned segment #
        les     bx,address
        xor     cx,cx               ; Get a zero for the offset
        mov     es:[bx],cx          ; offset
        mov     es:[bx+2],ax        ; segment

        les     bx,actual           ; Return the actual size
        mov     es:[bx],dx

        mov     ax,XMSErrOK         ; No error
        ret

errorReturn:
        mov     al,bl               ; Move error code to AL
        xor     ah,ah               ; Zero extend to 16 bits
        mov     errno,ax            ; Copy to errno

        cmp     ax,XMSErrSmUMB      ; See if there's a smaller UMB
        je      errCommon           ; There is DX has it's size

        xor     dx,dx               ; Indicate size is zero

errCommon:

        les     bx,actual           ; Return the largest block size
        mov     es:[bx],dx

        ret

xms_allocUM     endp                ; end of procedure

        End
```

## Releasing an Upper Memory Block (UMB)

Figure 5-27 presents the source code listing to XMS11.ASM.

This source file contains the code to function xms_freeUM(...). This function frees a previously allocated UMB. The pointer to the UMB that is to be freed is passed as a parameter.

### Function xms_freeUM(...)

```
error = xms__freeUM(void *ptr);
```

where

   ptr   Points to the previously allocated UMB.


**5-27**   The source code listing to XMS11.ASM.

```
;****************************************************************
;***      XMS11.ASM                                          ***
;***                                                         ***
;***      int xms_freeUM(void *address)                      ***
;***                                                         ***
;***      Frees a previously allocated Upper Memory Block    ***
;***                                                         ***
;****************************************************************
;

          .model  large,C

          include xmsdefs.asm

          extrn   errno:WORD
          extrn   xmsHandler:DWord

;
;   Define entry point
;
          public  xms_freeUM

          .code

xms_freeUM      proc    addressLo:Word, addressHi:Word

          mov     ax,addressLo      ; Get offset
          or      ax,ax             ; See if it's zero (better be)
          jnz     offsetError       ; It's no good

          mov     dx,addressHi      ; Block segment address
          mov     ah,XMSFreeUM      ; Function code
          call    xmsHandler        ; call the guy

          or      ax,ax             ; AX=0 means error
          jz      errorReturn

          mov     ax,XMSErrOK       ; No error
          ret

offsetError:
          mov     bl,XMSErrUMBInv   ; bogus UMB

errorReturn:
          mov     al,bl             ; Move error code to AL
          xor     ah,ah             ; Zero extend to 16 bits
          mov     errno,ax          ; Copy to errno

          ret

xms_freeUM      endp                ; end of procedure

          End
```

## Moving raw XMS memory

Figure 5-28 presents the source code listing to XMSRAW.ASM.

This file contains the code to function xms_rawMove(...). This function moves memory by use of physical addresses. Note that the memory blocks must be locked.

**5-28**   The source code listing to XMSRAW.ASM.

```
;*****************************************************************
;***      XMSRAW.ASM                                        ***
;***                                                        ***
;***      int xms_rawMove(dest, source, length)             ***
;***                                                        ***
;***      Move a block of XM from source to dest. This call ***
;***      uses physical addresses, and so the blocks must   ***
;***      be locked.                                        ***
;***                                                        ***
;*****************************************************************

        .model  large,C

        include xmsdefs.asm

        extrn   errno:WORD
        extrn   xmsHandler:DWord

;
;   Define entry point
;
        public  xms_rawMove

        .data

;
;   Define the raw move packet:
;
movePacket  dd  0,0,0,0
segLength1   dw  ?
sourceAddr   db  ?,?,?
             db  XMSBiosAccess
             dw  0
segLength2   dw  ?
destAddr     db  ?,?,?
             db  XMSBiosAccess
             dw  0,0,0,0,0,0,0,0,0

        .code

xms_rawMove        proc    destLo:Word, destHi:Word, sourceLo:Word, sourceHi:WORD, xferLen:Word

        push    si                      ; Save SI

        mov     cx,xferLen              ; length in bytes of xfer
        mov     segLength1,cx
        mov     segLength2,cx

    ;
```

**5-28** Continued.

```
        ;   The bios call takes a number of words to move, so
        ;   we need to convert the byte count into a word count.
        ;   we give an error if the byte count was odd. We don't
        ;   want to round up, because this may be destructive.
        ;

                clc
                rcr     cx,1                ; shift right into carry
                jc      oddLength           ; special error case


        ;
        ;   Transfer the three byte (24 bit) physical addresses:
        ;

                mov     ax,destLo           ; LSB 2 bytes of dest
                mov     Word Ptr destAddr,ax
                mov     ax,destHi           ; MSB byte of dest
                mov     destAddr+2,al

                mov     ax,sourceLo         ; LSB 2 bytes of source
                mov     Word Ptr sourceAddr,ax
                mov     ax,sourceHi         ; MSB byte of source
                mov     sourceAddr+2,al


        ;
        ;   We're ready to do the call:
        ;

                push    ds                  ; get ES:SI = packet
                pop     es
                lea     si,movePacket

                mov     ah,XMSBiosXMMove     ; Function code
                int     XMSBios

                jc      errorReturn         ; Carry means error occurred

                mov     ax,XMSErrOK         ; No error
                pop     si                  ; restore SI
                ret

oddLength:
                mov     ah,XMSErrLenInv     ; Invalid length

errorReturn:
                mov     al,ah               ; Move error to AL
                xor     ah,ah               ; Zero extend error
                mov     errno,ax            ; Save in errno
                pop     si                  ; Restore SI
                ret

xms_rawMove     endp                        ; end of procedure

        end
```

### Function xms__rawMove(...)

error = xms__rawMove(BWORD dest, DWORD srce, WORD length);

where

dest    Contains physical address of destination buffer.
srce    Contains physical address of source buffer.
length  Holds the number of bytes to be moved.

## EMS function error reporting

Figure 5-29 presents the source code listing to XMSERR.C.

This source file contains the functions that support the XMS error reporting system.

**5-29**  The source code listing to XMSERR.C.

```
///////////////////////////////////////
//
// xmserr.c
//
//  Provides error handling for demo programs.
//
///////////////////////////////////////

//////////////////////////
// include standard
// I/O functions

#include <stdio.h>
#include <stdlib.h>
#include <dos.h>

//////////////////////////
//
// include xms memory
// management header
// files

#include "gdefs.h"
#include "xms.h"

//////////////////////////
// begin program

char    *xms_errorText(err)

    WORD    err;

{
    static char buff[64];

    switch (err) {
    case XMSErrOK:
        return "No Error";
    case XMSErrUnimp:
        return "Unimplemented function";
    case XMSErrVDISK:
        return "VDISK device detected";
    case XMSErrA20:
        return "A20 error";
```

**5-29** Continued.

```
    case XMSErrNoHMA:
        return "HMA does not exist";
    case XMSErrHMAInUse:
        return "HMA already in use";
    case XMSErrHMAMin:
        return "HMA space requested < /HMAMIN= parameter";
    case XMSErrHMANotAll:
        return "HMA not allocated";
    case XMSErrA20Enab:
        return "A20 still enabled";
    case XMSErrNoXMLeft:
        return "All eXtended Memory allocated";
    case XMSErrNoHandles:
        return "All handles are allocated";
    case XMSErrHandInv:
        return "Invalid handle";
    case XMSErrSHandInv:
        return "Invalid Source Handle";
    case XMSErrSOffInv:
        return "Invalid Source Offset";
    case XMSErrDHandInv:
        return "Invalid Destination Handle";
    case XMSErrDOffInv:
        return "Invalid Destination Offset";
    case XMSErrLenInv:
        return "Invalid Length";
    case XMSErrOverlap:
        return "Invalid move overlap";
    case XMSErrParity:
        return "Parity error";
    case XMSErrNoLock:
        return "Handle not locked";
    case XMSErrLock:
        return "Handle Locked";
    case XMSErrLockOvflo:
        return "Lock count overflo";
    case XMSErrLockFail:
        return "Lock fail";
    case XMSErrSmUMB:
        return "Smaller UMB available";
    case XMSErrNoUMB:
        return "No UMB's available";
    case XMSErrUMBInv:
        return "Invalid UMB segment";
    default:
        sprintf(buff, "Unknown error 0x%X", err);
        return buff;
        }
}

void xms_demoError(function)

    char    *function;

{

    //
    // Report the error:
```

```
//
printf("Error on %s(): \"%s\"\n", function, xms_errorText(errno));
exit(0);
```

}

### Function xms__errorText(...)

(char *)string = xms__errorText(WORD error);

where

error   Holds the error number value.
string  Points to the error code text message.

## Summary

Chapter 5 presented the XMS 2.0 function which facilitates the use of extended memory in your DOS real mode programs. Use the heavily documented XMS demonstration programs (FIGS. 5-1 through 5-8) as guides for understanding how the XMS related functions are called.

The XMS functions presented in this chapter are used as building blocks for the Virtual Memory Manager used in Chapter 6.

Figure 5-30 presents the library listing for the XMSL.LIB library file.

**5-30**  The library listing for XMSL.LIB.

```
Publics by module

XMS00          size = 47
        _xms_getVersion

XMS01          size = 30
        _xms_allocHMA

XMS02          size = 22
        _xms_freeHMA

XMS03          size = 22
        _xms_globEnabA20

XMS04          size = 22
        _xms_globDisabA20

XMS07          size = 37
        _xms_getA20State

XMS08          size = 39
        _xms_getFreeXM

XMS09          size = 36
        _xms_allocXM

XMS0A          size = 30
        _xms_freeXM
```

**5-30** Continued.

| | | |
|---|---|---|
| XMS0B | size = 38 | |
| | _xms_moveXM | |
| XMS0C | size = 42 | |
| | _xms_lockXM | |
| XMS0D | size = 30 | |
| | _xms_unlockXM | |
| XMS0E | size = 58 | |
| | _xms_getHandInfo | |
| XMS0F | size = 33 | |
| | _xms_resizeXM | |
| XMS10 | size = 63 | |
| | _xms_allocUM | |
| XMS11 | size = 39 | |
| | _xms_freeUM | |
| XMSERR | size = 1032 | |
| | _xms_demoError | _xms_errorText |
| XMSINIT | size = 44 | |
| | _xmsHandler | _xms_init |
| XMSRAW | size = 121 | |
| | _xms_rawMove | |

# 6

# *The Virtual Memory Manager*

This chapter begins with an overview of the Virtual Memory Manager. Once you've finished reading the overview, you can look at the six included simple-to-use VMM function prototypes for the applications programmer. The VMM demonstration programs follow, and the chapter ends with the full source code for the VMM's internal operations.

The VMM presented in this last chapter is quite sophisticated in its operation. If you don't quite catch all the VMM concepts in the first reading, be patient. You'll catch on to what's happening in the VMM shortly thereafter.

## Overview of the Virtual Memory Manager

A Virtual Memory Manager (VMM) facilitates a program's use of all the available memory in its host computer system. For purposes of this chapter, "all the memory" means all the unallocated conventional memory, EMS, XMS and hard disk space. This unallocated space will be referred to as the "memory pool."

### The memory pool

Conventional memory
Unallocated EMS
Unallocated XMS
Unallocated hard disk

Let's say you need to work with 5 megabytes of data. It's pretty obvious that conventional memory will not fill the bill. Say your computer's memory pool is over 5 megabytes. Managing the way your 5M of data is dispersed in the memory pool can become quite nightmarish. What data is held in conventional memory? What data is held in EMS? What data is held in XMS? What data is held on disk?

The VMM isolates you from the hairy requirement of managing the memory pool. It allows you to work with large amounts of data by using a few simple functions. Pretty nifty, indeed.

## Overview of the VMM's architecture

The purpose of this overview is to give you a feel for the basic design principles of the VMM. This discussion session is designed to help you visualize how the VMM system operates. The demonstration programs will show the simple VMM interface in use, and the heavily documented VMM source code will explain the nitty gritty of the VMM system.

One of the first decisions that had to be made centered on the size of the memory pages we were going to use in the VMM. The page is where your data is manipulated. Although we considered using pages as small as 2K, in the end we decided that 16K was best as it greatly simplified the building of the VMM. The 16K unit proves to be the least common multiple of EMS, XMS, and disk.

**VMM page size**

16K page size

Once you initialize the VMM, the next task is to allocate a block of virtual memory (via a VMM function) where data can be stored. The VMM lets you wire virtual memory into conventional memory. Wiring a 16K page means that you are bringing data into a conventional memory page where it is available to be read or written. Changing the data in the wired page is called "making it dirty."

Unwiring a page makes it unavailable for reading or writing data and makes conventional memory buffer space available for wiring other pages. If you want to write data to or read data from the unwired page you must wire it again. A 16K VMM page may be wired and unwired an unlimited number of times.

**Wiring a page**     Imports a 16K page to memory where data may be read or written.

**Unwiring a page**  Making a page unavailable for reading or writing data.

If you attempt to wire in a new 16K page to your VMM allocated memory block and there is no room, one of the VMM unwired pages will be kicked out of the buffer.

For purposes of this chapter, conventional memory is called *fast memory*. EMS and XMS are called *slow memory*. Disk memory is called *slowest memory*.

## Memory access speed

Fast       Conventional
Slow       EMS, XMS
Slowest    Disk

The rule of thumb for 16K page location management is called the Least Recently Used (LRU) rule. The 16K page that is least recently used gets bumped to a slower level of memory if insufficient fast memory is available. If conventional memory fills, the LRU kicked-out page in the VMM allocated memory block goes to EMS or XMS. If EMS and XMS are filled, then the LRU 16K page in slow memory goes to disk and is replaced by the VMM allocated fast-memory block kicked-out page. Phew . . .

## Least Recently Used (LRU) Principle

The less recently a 16K page was used, the higher the probability that it will wind up in slowest memory. The more recently a 16K page was used, the higher the probability it will remain in fast memory.

The VMM keeps track of page status through an intricately crafted series of structures and linked lists. Fortunately for you, the entire page management scheme proves invisible. To use the VMM, you only need to use a few simple functions.

First, the prototypes for the VMM interface functions are presented and then the demonstration programs follow. The demonstration programs will help you see the VMM in action. After the demonstration programs are presented, the complete and heavily documented source code to the VMM is presented. No secrets!

One final note: the VMM uses an error reporting system in the same fashion as the EMS and XMS functions. The error code is returned via the standard function return method. Here is the VMM error code list:

## VMM Error Code List

| Name | Code | Meaning |
|------|------|---------|
| VMErrOK | 0 | There is no error |
| VMErrEMS | 1 | There is an EMS-related error |
| VMErrXMS | 2 | There is an XMS-related error |
| VMErrDisk | 3 | There is a disk-related error |
| VMErrNoConv | 4 | No conventional memory is available |
| VMErrBadWire | 5 | There is a problem wiring a VMM page |
| VMErrNotWired | 6 | Attempted to unwire a page not wired |
| VMErrBounds | 7 | Tried to wire or unwire a page not in block |

# VMM functions

## Initializing the VMM

Function vm_init(...) initializes the VMM. Looking at the function prototypes will help to facilitate its use in your programs. For detailed help see the heavily documented demonstration program source code.

### Function vm_init(...)

error = vm_init(DWORD memory_requested);

where

memory_requested   Given in bytes, refers to the amount of conventional memory you want to reserve for the VMM's use.

## Shutting down the VMM

Function vm_shutdown(...) shuts down all VMM operations and frees up the memory that had been allocated by the VMM initialization.

### Function vm_shutdown(...)

error = vm_shutdown( );

## Allocating A VMM buffer

Function vm_alloc(...) allocates a block of virtual memory. Physical memory doesn't get allocated until you wire an area.

### Function vm_alloc(...)

error = vm_alloc(DWORD block_size, DWORD *handle);

where

buffer_size   Refers to the size of the block in bytes.
handle   Receives the handle associated with the block.

## Freeing up VMM allocated memory

Function vm_free(...) frees up the previously allocated block.

### Function vm_free(...)

error = vm_free(DWORD handle);

where

handle   Refers to the handle of previously allocated virtual memory block.

### Wiring a VMM page for reading and writing

Function vm_wire(...) allows you to prepare a specified amount of memory within a VMM block for reading and writing.

#### Function vm_wire(...)

error = vm_wire(DWORD handle, DWORD start, DWORD size,
       char **address);

where

| | |
|---|---|
| handle | Refers to the handle of previously allocated virtual memory block. |
| start | Refers in bytes to the offset in the VMM block of the area that you want to access. |
| size | Refers in bytes to the size of the area you want to access. |
| address | Receives a char pointer to the conventional memory containing the wired area. |

### Unwiring a VMM page to make buffer space available

Function vm_unwire(...) signals the VMM that the specified area may be kicked out to slower memory if a new VMM area is to be wired. The buffer address returned by wiring the area becomes invalid after the area is unwired.

#### Function vm_unwire(...)

error = vm_unwire(DWORD handle, DWORD start, DWORD size, int dirty);

where

| | |
|---|---|
| handle | Refers to the handle of previously allocated virtual memory block. |
| start | Refers in bytes to the offset in the VMM block of the area that you no longer want to access. |
| size | Refers in bytes to the size of the area you no longer want to access. |
| address | Receives a char pointer to the conventional memory containing the wired area. |

# VMM demonstration programs

This chapter presents two demonstration programs. Great care has been taken to document the VMM functions. By examining the source code, you'll be able to easily discern how the VMM functions are used.

PROG6-1.C demonstrates the following features:

- Initializing the VMM.
- Allocating a block of memory via a VMM function.
- Wiring a VMM page.

Figure 6-1 presents the source code listing to PROG6-1.C.

**6-1** The source code listing to PROG6-1.C.

```
//////////////////////////////////////
//
// prog6-1.c --      VM demo
//
//       This test program demonstrates
//             - vm intialization
//             - allocation
//             - wiring
//
//////////////////////////////////////


//
// include standard I/O functions
//
#include <stdio.h>
#include <stdlib.h>
#include <string.h>
#include <dos.h>


//
// include memory management header files
//
#include "gdefs.h"
#include "vm.h"


//
//  A handy macro for calling functions:
//
#define call(cond)  if ((error= (cond)) != 0)


int     main()

{
    DWORD       handle1;
    char        *addr;

    int         error;

    addr= NULL;
    call (vm_init(245760L)) {
        goto err;
        }

    call (vm_alloc(100000L, &handle1)) {
        goto err;
        }

    //
    // Write some text to various places in the VM block
    //
    call (vm_wire(handle1, 54320L, 80L, &addr)) {
```

```
            goto err;
        }
    strcpy(addr, "        Americans are broad minded people. They'll\n");
    call (vm_unwire(handle1, 54320L, 80L, TRUE)) {
        goto err;
        }

    call (vm_wire(handle1, 660L, 80L, &addr)) {
        goto err;
        }
    strcpy(addr, "        accept the fact that a person can be an alcoholic,\n");
    call (vm_unwire(handle1, 660L, 80L, TRUE)) {
        goto err;
        }

    call (vm_wire(handle1, 9878L, 80L, &addr)) {
        goto err;
        }
    strcpy(addr, "        a dope fiend, a wife beater, and even a newspaperman,\n");
    call (vm_unwire(handle1, 9878L, 80L, TRUE)) {
        goto err;
        }

    call (vm_wire(handle1, 76654L, 80L, &addr)) {
        goto err;
        }
    strcpy(addr, "        but if a man doesn't drive, there's something wrong\n");
    call (vm_unwire(handle1, 76654L, 80L, TRUE)) {
        goto err;
        }

    call (vm_wire(handle1, 10L, 80L, &addr)) {
        goto err;
        }
    strcpy(addr, "        with him.\n\n");
    call (vm_unwire(handle1, 10L, 80L, TRUE)) {
        goto err;
        }

    call (vm_wire(handle1, 24000L, 80L, &addr)) {
        goto err;
        }
    strcpy(addr, "                              -- Art Buchwald\n");
    call (vm_unwire(handle1, 24000L, 80L, TRUE)) {
        goto err;
        }


//
//  Now let's recall the blocks.
//
    call (vm_wire(handle1, 54320L, 80L, &addr)) {
        goto err;
        }
    printf("%s", addr);
    call (vm_unwire(handle1, 54320L, 80L, TRUE)) {
        goto err;
        }

    call (vm_wire(handle1, 660L, 80L, &addr)) {
```

```
        goto err;
        }
    printf("%s", addr);
    call (vm_unwire(handle1, 660L, 80L, TRUE)) {
        goto err;
        }

    call (vm_wire(handle1, 9878L, 80L, &addr)) {
        goto err;
        }
    printf("%s", addr);
    call (vm_unwire(handle1, 9878L, 80L, TRUE)) {
        goto err;
        }

    call (vm_wire(handle1, 76654L, 80L, &addr)) {
        goto err;
        }
    printf("%s", addr);
    call (vm_unwire(handle1, 76654L, 80L, TRUE)) {
        goto err;
        }

    call (vm_wire(handle1, 10L, 80L, &addr)) {
        goto err;
        }
    printf("%s", addr);
    call (vm_unwire(handle1, 10L, 80L, TRUE)) {
        goto err;
        }

    call (vm_wire(handle1, 24000L, 80L, &addr)) {
        goto err;
        }
    printf("%s", addr);
    call (vm_unwire(handle1, 24000L, 80L, TRUE)) {
        goto err;
        }

    vm_free(handle1);

    vm_shutdown();

    return 0;
err:
    printf("Died: Error #%d\n",  error);
}
```

PROG6-2.C demonstrates the following features:

- Allocating two very large blocks of virtual memory.
- Running through them twice: first initializing them and then read-ing them (making sure they were correctly initialized).

Figure 6-2 presents the source code listing to PROG6-2.C.

**6-2** The source code listing to PROG6-2.C.

```
////////////////////////////////////////
//
// prog6-2.c --     VM exerciser
//
//       This test program allocates two big blocks of virtual memory
//       and runs through them twice, first initializing them and then
//       reading them to make sure they were correctly initialized.
//
////////////////////////////////////////


//
// include standard I/O functions
//
#include <stdio.h>
#include <stdlib.h>
#include <string.h>
#include <dos.h>


//
// include memory management header files
//
#include "gdefs.h"
#include "vm.h"


//
//  A handy macro for calling functions:
//
#define call(cond)  if ((error= (cond)) != 0)
int     main()

{

    DWORD       handle1;
    DWORD       handle2;
    char        *addr;

    long        i;
    long        j;

    int         error;


    addr= NULL;
    call (vm_init(245760L)) {
        goto err;
        }

    call (vm_alloc(2113536L, &handle1)) {
        goto err;
        }
    call (vm_alloc(2113536L, &handle2)) {
        goto err;
        }

    for (i= 0; i < 32; i++) {
```

```
//
//  Wire a chunk of the first block and initialize it.
//
call (vm_wire(handle1, i*65536L, 65536L, &addr)) {
    goto err;
    }
printf("--> %2ld: wire #1, %04X:%04X\n", i,
                FP_SEG(addr), FP_OFF(addr));

for (j= 0; j < 65534L; j+= 8192) {
    addr[(WORD) 1L]= 0;
    addr[(WORD) 16385L]= 1;
    addr[(WORD) 32769L]= 2;
    addr[(WORD) 49153L]= 3;
    if (addr[(WORD) j]) {
        printf("Error: handle1, i= %ld, addr[j]= %d, j= %ld\n",
                i, addr[(WORD) j], j);
        }
    addr[(WORD) j]= (char) i;
    }
call (vm_unwire(handle1, i*65536L, 65536L, TRUE)) {
    goto err;
    }
printf("--> %2ld: unwire #1\n", i);


//
//  Wire a chunk of the second block and initialize it.
//
call (vm_wire(handle2, i*65536L, 65536L, &addr)) {
    goto err;
    }
printf("--> %2ld: wire #2, %04X:%04X\n", i,
                FP_SEG(addr), FP_OFF(addr));
for (j= 0; j < 65534L; j+= 8192) {
    addr[(WORD) 1L]= 0;
    addr[(WORD) 16385L]= 1;
    addr[(WORD) 32769L]= 2;
    addr[(WORD) 49153L]= 3;
    if (addr[(WORD) j]) {
        printf("Error: handle1, i= %ld, addr[j]= %d, j= %ld\n",
                i, addr[(WORD) j], j);
        }
    addr[(WORD) j]= (char) (i + 10L);
    }
call (vm_unwire(handle2, i*65536L, 65536L, TRUE)) {
    goto err;
    }
printf("--> %2ld: unwire #2\n", i);
    }

for (i= 0; i < 32; i++) {
    //
    //  Wire a chunk of the first block and make sure we get
    //  the values we expect.
    //
    call (vm_wire(handle1, i*65536L, 65536L, &addr)) {
```

```
                goto err;
            }
        printf("<-- %2ld: wire #1, %04X:%04X\n", i,
                        FP_SEG(addr), FP_OFF(addr));
        printf("     %d, %d, %d, %d\n",
            addr[(WORD) 1L],
            addr[(WORD) 16385L],
            addr[(WORD) 32769L],
            addr[(WORD) 49153L]);
        for (j= 0; j < 65534L; j+= 8192) {
            if (addr[(WORD) j] != (char) i) {
                printf("Error: handle1, i= %ld, addr[j]= %d, j= %ld\n",
                        i, addr[(WORD) j], j);
            }
        }
        call (vm_unwire(handle1, i*65536L, 65536L, TRUE)) {
            goto err;
        }
        printf("<-- %2ld: unwire #1\n", i);

        //
        //  Now validate a chunk of the second block.
        //
        call (vm_wire(handle2, i*65536L, 65536L, &addr)) {
            goto err;
        }
        printf("<-- %2ld: wire #2, %04X:%04X\n", i, FP_SEG(addr), FP_OFF(addr));
        printf("     %d, %d, %d, %d\n",
            addr[(WORD) 1L],
            addr[(WORD) 16385L],
            addr[(WORD) 32769L],
            addr[(WORD) 49153L]);
        for (j= 0; j < 65534L; j+= 8192) {
            if (addr[(WORD) j] != (char) (10L + i)) {
                printf("Error: handle2, i= %ld, addr[j]= %d, j= %ld\n",
                        i, addr[(WORD) j], j);
            }
        }
        call (vm_unwire(handle2, i*65536L, 65536L, TRUE)) {
            goto err;
        }
        printf("<-- %2ld: unwire #2\n", i);
    }


    vm_free(handle1);
    vm_free(handle2);


    vm_shutdown();

    return 0;
err:
    printf("Died: Error #%d\n",  error);
    return 0;
}
```

# The complete VMM source code listings

The VMM source code listing is broken up into six files. These files are heavily documented and might appear complex to those uninitiated in virtual memory management techniques. Take your time when exploring the source code. The real meat of the book falls in the source presented in this section of the book.

Figure 6-3 presents the VM.H header file listing for the VMM user interface function prototypes.

**6-3** The source code listing to VM.H.

```
/////////////////////////////////////
//
// vm.h
//
// External definitions for the virtual memory module
//
/////////////////////////////////////


//
// Define some error codes
//
#define     VMErrOK           0
#define     VMErrEMS          1
#define     VMErrXMS          2
#define     VMErrDisk         3
#define     VMErrNoConv       4
#define     VMErrBadWire      5
#define     VMErrNotWired     6
#define     VMErrBounds       7


//
// Define the functions
//
extern int      vm_init(DWORD maxMemory);
extern int      vm_shutdown(void);
extern int      vm_alloc(DWORD size, DWORD *handle);
extern int      vm_free(DWORD handle);
extern int      vm_wire(DWORD handle, DWORD start, DWORD size, char **addr);
extern int      vm_unwire(DWORD handle, DWORD start, DWORD size, int dirty);
```

Figure 6-4 presents the source code listing to VMINTERN.H. This header file contains the internal VMM definitions which are used within the VMM. These functions should not be called by the VMM applications programmer.

**6-4** The source code listing to VMINTERN.H.

```
/////////////////////////////////////
//
// vmintern.h
//
// Internal definitions for the virtual memory module
//
```

```
/////////////////////////////////////////

//
//  Include the external definitions
//
#include    "vm.h"

//
//  Do a little compiler dependent stuff
//
#if     defined(MSC)

#define farmalloc(n)    halloc(n, 1)
#define farfree(p)      hfree(p)

#endif

//
//  First let's define some important constants:
//
#define     VM_PAGE_SIZE        16384
#define     VM_PAGE_SHIFT       14
#define     VM_PAGE_OFFSET_MASK (VM_PAGE_SIZE-1)
#define     VM_PAGE_NUM_MASK    (~VM_PAGE_OFFSET_MASK)

#define     VM_MAX_BUFF_SPACE   131072L

//
//  Define our ENQUE macro
//
#define ENQUE_H(type, item, head, tail)                         \
            vm_enque  ((char *) (item),                         \
                        (char **) &(head),                      \
                        (char **) &(tail),                      \
                        (int) &((type *) 0)->next,              \
                        (int) &((type *) 0)->prev)

#define ENQUE_T(type, item, head, tail)                         \
            vm_enque( (char *) (item),                          \
                        (char **) &(tail),                      \
                        (char **) &(head),                      \
                        (int) &((type *) 0)->prev,              \
                        (int) &((type *) 0)->next)

#define DEQUE(type, item, head, tail)                           \
            vm_deque( (char *) (item),                          \
                        (char **) &(head),                      \
                        (char **) &(tail),                      \
                        (int) &((type *) 0)->next,              \
                        (int) &((type *) 0)->prev)

//
//  Define the types of secondary memory
//
typedef enum {
    VM_SEC_UNALLOCATED= 0,
    VM_SEC_DISK= 1,
    VM_SEC_XMS= 2,
    VM_SEC_EMS= 3
    }  SecondaryKind;
```

```
//
//   Define the queues on which we may find a physical page.
//
typedef enum {
    VM_Q_FREE=  0,
    VM_Q_LRU=   1,
    VM_Q_WIRED= 2
    }  SecondaryQueue;


//
//   Define a free area descriptor
//
typedef struct  freeArea {

    struct freeArea    *next;       // Next free area
    struct freeArea    *prev;       // Prev free area

    DWORD              handle;      // EMS/XMS Buff addr (if appropriate)
    DWORD              start;       // Start address
    DWORD              size;        // Size of area

    }  FreeArea;



//
//   Define a conventional memory buffer descriptor.
//
typedef struct  convBuff {

    struct convBuff    *next;       // Next buffer (mru first)
    struct convBuff    *prev;       // Prev buffer

    WORD               buffSize;    // Size in pages
    char huge          *address;    // Address of buffer

    struct vmBlock     *vmBlock;    // Where the pages are from
    WORD               startPage;   // First page in buffer

    WORD               wiredPages;  // Number of wired pages

    }  ConvBuff;


//
//   A -1 convBuff means page is in PFA
//
#define PFABUFF             ((ConvBuff *) -1)


//
//   Define an EMS buffer descriptor.
//
typedef struct  emsBuff {

    struct emsBuff     *next;       // Next buffer
    struct emsBuff     *prev;

    WORD               buffSize;    // Size in pages
    WORD               handle;      // EMS handle

    WORD               useCount;    // Number of pages in use
```

```
        }   EmsBuff;


//
//  Define an XMS buffer descriptor.
//
typedef struct  xmsBuff {

    struct xmsBuff      *next;          // Next buffer
    struct xmsBuff      *prev;

    WORD                buffSize;       // Size in pages
    WORD                handle;         // XMS handle

    WORD                useCount;       // Number of pages in use

    }   XmsBuff;

//
//  Define the EMS page descriptor.
//
typedef struct  emsPage {

    struct emsPage      *next;          // Next EMS page (mru order)
    struct emsPage      *prev;          // Prev EMS page

    struct vmPage       *vmPage;        // Corresponding VM page

    EmsBuff             *emsBuff;       // EMS buffer descriptor
    WORD                pageNum;        // Page in buffer

    SecondaryQueue      secondaryQueue; // Queue page is on

    }   EmsPage;

typedef struct  xmsPage {

    struct xmsPage      *next;          // Next XMS page (mru order)
    struct xmsPage      *prev;          // Prev EMS page

    struct vmPage       *vmPage;        // Corresponding VM page

    XmsBuff             *xmsBuff;       // XMS buffer descriptor
    WORD                pageNum;        // Offset into buffer

    SecondaryQueue      secondaryQueue; // Queue page is on

    }   XmsPage;

typedef struct  diskPage {

    struct diskPage     *next;          // Next disk page
    struct diskPage     *prev;          // Prev disk page
    struct vmPage       *vmPage;        // Corresponding VM page

    WORD                pageNum;        // Offset into file (in pages)

    }   DiskPage;
//
```

```
//  Define a virtual memory page
//
typedef struct  vmPage {

    WORD                pageNum;            // Number of page in VM block

    SecondaryKind       secondaryKind;      // Type of secondary
    union {
        DiskPage            *disk;          // Disk secondary page
        XmsPage             *xms;           // XMS secondary page
        EmsPage             *ems;           // EMS secondary page
        }               sec;

    ConvBuff            *convBuff;          // Conventional memory buffer
    DWORD               offset;             // Offset in buffer

    WORD                wired;              // Wire count

    unsigned            dirty:1;            // Page modified

    }   VmPage;


//
//  Define a virtual memory block.
//
typedef struct  vmBlock {

    struct vmBlock      *next;              // Next VM block
    struct vmBlock      *prev;              // Prev VM block

    WORD                size;               // Size in pages
    VmPage              *pages;             // Virtual pages

    }   VmBlock;


//
//  Define the EMS Descriptor
//
typedef struct  emsDesc {

    EMS_PageFrame       pageFrame;          // Address of Page Frame

    EmsPage             *contents[EMS_PAGE_FRAME_SIZE];
                                            // Pages in Page frame

    EmsPage             *mruPage;           // Page LRU queue
    EmsPage             *lruPage;

    EmsPage             *firstWired;        // Wired page list
    EmsPage             *lastWired;

    FreeArea            *firstFree;         // Free page chain
    FreeArea            *lastFree;

    EmsBuff             *firstBuff;         // Buffer queue
    EmsBuff             *lastBuff;
```

```
        WORD                    pageBuffHandle; // One page handle for buffering

        WORD                    emsBlockSize;   // Preferred block size

        }   EmsDesc;

//
//  Define the XMS descriptor.
//
typedef struct  xmsDesc {

        XmsPage                 *mruPage;       // Page LRU queue
        XmsPage                 *lruPage;

        XmsPage                 *firstWired;    // Wired page list
        XmsPage                 *lastWired;

        FreeArea                *firstFree;     // Free page chain
        FreeArea                *lastFree;

        XmsBuff                 *firstBuff;     // Buffer queue
        XmsBuff                 *lastBuff;

        WORD                    xmsBlockSize;   // Preferred block size

        }   XmsDesc;

//
//  Define the Disk descriptor.
//
typedef struct  diskDesc {

        DiskPage                *firstPage;     // Page queue
        DiskPage                *lastPage;

        FreeArea                *firstFree;     // Free page chain
        FreeArea                *lastFree;

        FILE                    *channel;       // File channel

        DWORD                   fileSize;       // Current size of file

        }   DiskDesc;

//
//  Define the conventional memory descriptor.
//
typedef struct  convDesc {

        ConvBuff                *mruBuff;       // Buffer LRU chain
        ConvBuff                *lruBuff;

        ConvBuff                *firstWired;
        ConvBuff                *lastWired;

        DWORD                   spaceAvail;     // maxSpace - Memory allocated for buffers

        }   ConvDesc;

//
```

```
//  Declare some extern functions
//
extern void      vm_enque(char *item, char **head, char **tail,
                          int next_offset, int prev_offset);
extern void      vm_deque(char *item, char **head, char **tail,
                          int next_offset, int prev_offset);

extern void      vm_addFree(DWORD handle, DWORD offset, DWORD size,
                          FreeArea **firstFree, FreeArea **lastFree);

extern void      vm_freeVmPage(VmPage *page);
extern void      vm_freeEmsPage(EmsPage *page);
extern void      vm_freeXmsPage(XmsPage *page);
extern void      vm_freeDiskPage(DiskPage *page);
extern void      vm_freeConvBuff(ConvBuff *buff);
extern void      vm_freeEmsBuff(EmsBuff *buff);
extern void      vm_freeXmsBuff(XmsBuff *buff);

extern int       vm_faultInPages(VmBlock *, WORD, WORD);
extern int       vm_faultToEMS(VmBlock *, WORD, WORD);
extern int       vm_faultToXMS(VmBlock *, WORD, WORD);
extern int       vm_faultToDisk(VmBlock *, WORD, WORD);
extern int       vm_tryMapPFA(VmBlock *, WORD, WORD);
extern int       vm_tryMapConv(VmBlock *, WORD, WORD);
extern void      vm_getEMSPages(int, EmsPage **);
extern void      vm_getXMSPages(int, XmsPage **);
extern void      vm_getDiskPages(int, DiskPage **);
extern void      vm_promoteToEMS(VmPage *, EmsPage *);
extern void      vm_promoteToXMS(VmPage *, XmsPage *);
extern void      vm_promoteToDisk(VmPage *, DiskPage *);
extern void      vm_demoteFromEMS(EmsPage *);
extern void      vm_demoteFromXMS(XmsPage *);
extern void      vm_flushVmPage(VmPage *);
extern void      vm_loadVmPage(VmPage *, ConvBuff *);
extern int       vm_freeLRUConvBuff(void);
extern void      vm_moveSecPageToWired(VmPage *);
extern void      vm_dequeSecPage(VmPage *);
extern void      vm_fatal(char *);

//
//  Now declare global data
//
extern EmsDesc        ems;
extern XmsDesc        xms;
extern DiskDesc       disk;
extern ConvDesc       conv;

extern VmBlock        *firstVmBlock;
extern VmBlock        *lastVmBlock;

extern int            emsPresent;
extern int            xmsPresent;
```

Figure 6-5 presents the source code listing to VMINIT.C. This source file contains the code to functions that initialize the VMM's data structures.

**6-5** The source code listing to VMINIT.C.

```
///////////////////////////////////////
//
//  vminit.c --      VM initialization
//
//       Initialization and termination of VM module
//
///////////////////////////////////////

//
// include standard I/O functions
//
#include <stdio.h>
#include <stdlib.h>
#include <dos.h>


//
// include memory management header files
//
#include "gdefs.h"
#include "xms.h"
#include "ems.h"
#include "vmintern.h"


//
//  Define all of the global stuff
//
EmsDesc         ems;
XmsDesc         xms;
DiskDesc        disk;
ConvDesc        conv;

VmBlock         *firstVmBlock;
VmBlock         *lastVmBlock;

int             emsPresent;
int             xmsPresent;


int     vm_init(maxSpace)

    DWORD           maxSpace;

{
    int             i;
    WORD            numHandles;
    WORD            totalPages;
    WORD            freePages;
    WORD            activeHandles;
    WORD            freeKXM;
    WORD            contiguousKXM;
    WORD            xmsHandle;
    WORD            blockSize;
    WORD            lockCount;

    //
    // First look into initializing EMS
```

```
//
emsPresent= FALSE;
if (ems_present() && ems_getStatus() == EMSErrOK) {
    emsPresent= TRUE;

    //
    //  Get the page frame address
    //
    if (ems_getPFA(&ems.pageFrame)) {
        return VMErrEMS;
        }

    //
    //  Indicate that the page frame area is empty
    //
    for (i= 0; i < EMS_PAGE_FRAME_SIZE; i++) {
        ems.contents[i]= NULL;
        }

    ems.mruPage= NULL;
    ems.lruPage= NULL;
    ems.firstWired= NULL;
    ems.lastWired= NULL;
    ems.firstFree= NULL;
    ems.lastFree= NULL;


    //
    //  Allocate a one page buffer which we will use for
    //  reading and writing pages between XMS and DISK.
    //
    //  This is to avoid spending valuable conventional memory on
    //  the buffer.
    if (ems_allocEM(1, &ems.pageBuffHandle)) {
        ems.pageBuffHandle= 0;
        }


    //
    //  Let's figure out how big blocks we should allocate.
    //  We do this by dividing the total available pages by the
    //  total available handles.
    //
    if (ems_getTotalHandles40(&numHandles)) {
        //
        //  Probably not 4.0 EMS. Just assume 64 handles.
        //
        numHandles= 64;
        }
    if (ems_getNumActiveHandles(&activeHandles)) {
        vm_fatal("ems_getNumActiveHandles");
        }
    if (ems_getFreeEM(&totalPages, &freePages)) {
        vm_fatal("ems_getFreeEM");
        }

    ems.emsBlockSize= (freePages + numHandles - 1) /
                            (numHandles - activeHandles);

    ems.emsBlockSize= max(ems.emsBlockSize, 8);
    }
```

```
//
//  Now let's look at XMS.
//
xmsPresent= FALSE;
if (xms_init() == XMSErrOK) {
    xmsPresent= TRUE;

    //
    //  Initialize the queues
    //
    xms.mruPage= NULL;
    xms.lruPage= NULL;
    xms.firstWired= NULL;
    xms.lastWired= NULL;

    xms.firstFree= NULL;
    xms.lastFree= NULL;

    //
    //  Let's figure out how big blocks we should allocate.
    //  We do this by dividing the total available pages by the
    //  total available handles.
    //
    //  Start by just getting a handle.
    //
    if (xms_getFreeXM(&freeKXM, &contiguousKXM)) {
        if (errno == XMSErrNoXMLeft) {
            freeKXM= 0;
            }
        else {
            vm_fatal("xms_getFreeXM");
            }
        }

    if (freeKXM) {
        if (xms_allocXM(1, &xmsHandle)) {
            vm_fatal("xms_allocXM");
            }
        if (xms_getHandInfo(xmsHandle, &blockSize, &numHandles, &lockCount)) {
            vm_fatal("xms_getHandleInfo");
            }

        freePages= freeKXM / (VM_PAGE_SIZE / XMS_PAGE_SIZE);
        xms.xmsBlockSize= (freePages + numHandles - 1) / numHandles;

        xms.xmsBlockSize= max(xms.xmsBlockSize, 8);

        if (xms_freeXM(xmsHandle)) {
            vm_fatal("xms_freeXM");
            }
        }
    else {
        xms.xmsBlockSize= 8;
        }
    }

//
//  Now initialize the disk
//
disk.firstPage= NULL;
```

```
    disk.lastPage= NULL;
    disk.firstFree= NULL;
    disk.lastFree= NULL;
    disk.fileSize= 0;

    disk.channel= fopen("TMPFILE", "w+b");
    if (disk.channel == NULL) {
        return VMErrDisk;
        }

    //
    //    Initialize conventional memory descriptor:
    //
    conv.mruBuff= NULL;
    conv.lruBuff= NULL;
    conv.firstWired= NULL;
    conv.lastWired= NULL;
    conv.spaceAvail= maxSpace;


    //
    //    Now initialize the VM block queue
    //
    firstVmBlock= NULL;
    lastVmBlock= NULL;

    return VMErrOK;
}

int     vm_shutdown()

{

    WORD                i;

    FreeArea            *currFreeArea;
    FreeArea            *nextFreeArea;

    ConvBuff            *currConvBuff;
    ConvBuff            *nextConvBuff;

    EmsBuff             *currEmsBuff;
    EmsBuff             *nextEmsBuff;

    XmsBuff             *currXmsBuff;
    XmsBuff             *nextXmsBuff;

    VmPage              *currVmPage;

    VmBlock             *currVmBlock;
    VmBlock             *nextVmBlock;

    //
    //    Start by going through the VM blocks.
    //
    for (currVmBlock= firstVmBlock; currVmBlock; currVmBlock= nextVmBlock) {
        nextVmBlock= currVmBlock->next;

        //
```

```
        //  Now go through the pages for the block
        //
        for (i= 0; i < currVmBlock->size; i++) {
            currVmPage= &currVmBlock->pages[i];

            if (currVmPage->secondaryKind != VM_SEC_UNALLOCATED) {
                free(currVmPage->sec.disk);
                }
            }
        free(currVmBlock->pages);
        free(currVmBlock);
        }


    //
    //  Now free up the various buffers and buffer descriptors
    //
    for (currConvBuff= conv.mruBuff; currConvBuff; currConvBuff= nextConvBuff) {
        nextConvBuff= currConvBuff->next;

        //
        //  Free the actual buffer
        //
        farfree((char *) currConvBuff->address);

        //
        //  Free the buffer descriptor
        //
        free(currConvBuff);
        }

    for (currEmsBuff= ems.firstBuff; currEmsBuff; currEmsBuff= nextEmsBuff) {
        nextEmsBuff= currEmsBuff->next;

        //
        //  Free the actual buffer
        //
        if (ems_freeEM(currEmsBuff->handle)) {
            fprintf(stderr, "VM: Fatal Error: %s\n",
                        ems_errorText(errno));
            exit(1);
            }

        //
        //  Free the buffer descriptor
        //
        free(currEmsBuff);
        }

    for (currXmsBuff= xms.firstBuff; currXmsBuff; currXmsBuff= nextXmsBuff) {
        nextXmsBuff= currXmsBuff->next;

        //
        //  Free the actual buffer
        //
        if (xms_freeXM(currXmsBuff->handle)) {
            fprintf(stderr, "VM: Fatal Error: %s\n",
                        xms_errorText(errno));
            exit(1);
            }
```

```
        //
        //   Free the buffer descriptor
        //
        free(currXmsBuff);
        }

    //
    //   Now free various free chains.
    //
    for (currFreeArea= ems.firstFree; currFreeArea; currFreeArea= nextFreeArea) {
        nextFreeArea= currFreeArea->next;
        free(currFreeArea);
        }

    for (currFreeArea= xms.firstFree; currFreeArea; currFreeArea= nextFreeArea) {
        nextFreeArea= currFreeArea->next;
        free(currFreeArea);
        }

    for (currFreeArea= disk.firstFree; currFreeArea; currFreeArea= nextFreeArea) {
        nextFreeArea= currFreeArea->next;
        free(currFreeArea);
        }

    //
    //   Free up the one page EMS buffer
    //
    if (emsPresent) {
        if (ems_freeEM(ems.pageBuffHandle)) {
            vm_fatal("ems_freeHandle");
            }
        }

    //
    //   Now close the temp file and delete it.
    //
    fclose(disk.channel);
    unlink("TMPFILE");

    //
    //   All done.
    //
    return VMErrOK;
}
```

Figure 6-6 presents the source code listing to VMUTIL.C. This source file contains the code to functions that maintain the linked lists that keep track of where actual memory is located.

**6-6**  The source code listing to VMUTIL.C.

```
//////////////////////////////////////
//
// vmutil.c --          Utility functions for VM
//
//      vm_enque()      -- Enque to a doubly linked list
//      vm_deque()      -- Deque from a double linked list
```

```
//      vm_addFree()    -- Add to a free chain
//      vm_fatal()      -- Handles a fatal VM error
//
////////////////////////////////////////

//
//   Include basic headers
//
#include <stdio.h>
#include <stdlib.h>

//
//   Include memory management header files
//
#include "gdefs.h"
#include "xms.h"
#include "ems.h"
#include "vmintern.h"

//
//   Define the tres ugly OFFSET macro which takes a char * and an int
//   and gives the char * starting at int bytes from the start of
//   the structure.
//
#define OFFSET(structure, offset)   (*((char **) &(structure)[offset]))


void    vm_enque(item, head, tail, next, prev)

    char        *item;
    char        **head;
    char        **tail;
    int         next;
    int         prev;

{

    OFFSET(item, prev)= NULL;
    OFFSET(item, next)= *head;
    if (*head) {
        OFFSET(*head, prev)= item;
        }
    else {
        *tail= item;
        }
    *head= item;
}


void    vm_deque(item, head, tail, next, prev)

    char        *item;
    char        **head;
    char        **tail;
    int         next;
    int         prev;

{
```

**6-6** Continued.

```
//
//   DEQUEing an element from a list which isn't on the list
//   can cause all kinds of problems. Let's do a sanity check.
//
if (OFFSET(item,prev) == NULL) {
    if (*head != item) {
        vm_fatal("deque error");
        }
    }
else {
    if (OFFSET(OFFSET(item,prev), next) != item) {
        vm_fatal("deque error");
        }
    }

if (OFFSET(item,next) == NULL) {
    if (*tail != item) {
        vm_fatal("deque error");
        }
    }
else {
    if (OFFSET(OFFSET(item,next), prev) != item) {
        vm_fatal("deque error");
        }
    }


if (OFFSET(item, prev) == NULL) {
    *head= OFFSET(item, next);
    }
else {
    OFFSET(OFFSET(item, prev), next)= OFFSET(item, next);
    }
if (OFFSET(item, next) == NULL) {
    *tail= OFFSET(item, prev);
    }
else {
    OFFSET(OFFSET(item, next), prev)= OFFSET(item, prev);
    }
}

void    vm_addFree(handle, start, size, head, tail)

    DWORD               handle;
    DWORD               start;
    DWORD               size;
    FreeArea            **head;
    FreeArea            **tail;

{

    FreeArea            *nextArea;
    FreeArea            *prevArea;
    FreeArea            *newArea;


//
//   Find the right place to insert it.
```

```
        //
        prevArea= NULL;
        for (nextArea= *head; nextArea; nextArea= nextArea->next) {
            if (nextArea->handle > handle ||
                    nextArea->handle == handle &&
                        nextArea->start >= start + size) {
                break;
                }
            prevArea= nextArea;
            }


    //
    //  See if we merge with previous area
    //
    if (prevArea &&
            prevArea->handle == handle &&
            prevArea->start + prevArea->size == start) {
        //
        //  See if we merge with next area
        //
        if (nextArea &&
                nextArea->handle == handle &&
                start + size == nextArea->start) {
            //
            //  New area is sandwiched between prev and next.
            //  Merge them all into prev.
            //
            prevArea->size= prevArea->size + size + nextArea->size;
            DEQUE(FreeArea, nextArea, *head, *tail);
            free(nextArea);
            }
        else {
            //
            //  Merge with previous area
            //
            prevArea->size= prevArea->size + size;
            }

        }
    else {
        //
        //  See if we merge with next area
        //
        if (nextArea &&
                nextArea->handle == handle &&
                start + size == nextArea->start) {
            //
            //  We merge with next area.
            //
            nextArea->start= start;
            nextArea->size= size + nextArea->size;
            }
        else {
            //
            //  No merging. We need to insert a new element.
            //
            newArea= (FreeArea *) malloc(sizeof(FreeArea));
            newArea->handle= handle;
            newArea->start= start;
            newArea->size= size;
            newArea->next= nextArea;
```

```
            newArea->prev= prevArea;
            if (prevArea) {
                prevArea->next= newArea;
                }
            else {
                *head= newArea;
                }
            if (nextArea) {
                nextArea->prev= newArea;
                }
            else {
                *tail= newArea;
                }
            }
        }
}


void    vm_fatal(string)

    char                *string;

{

    fprintf(stderr, "Fatal error: %s, %d\n", string, errno);
    exit(1);
}
```

Figure 6-7 presents the source code listing to VMALLOC.C. This source file contains the code to functions that allocate and free VM blocks.

**6-7** The source code listing to VMALLOC.C.

```
///////////////////////////////////////
//
// vmalloc.c --     Allocate and Free VM blocks
//
//      Defines routines for allocating and freeing VM blocks
//
///////////////////////////////////////


//
// include standard I/O functions
//
#include <stdio.h>
#include <stdlib.h>
#include <dos.h>


//
// include memory management header files
//
#include "gdefs.h"
#include "xms.h"
#include "ems.h"
#include "vmintern.h"
```

```c
int     vm_alloc(size, handle)
    DWORD               size;
    DWORD               *handle;


{

    VmBlock             *newVmBlock;
    VmPage              *page;
    WORD                i;

    WORD                numPages;


    //
    // Start by changing size to number of pages
    //
    numPages= (WORD) ((size + VM_PAGE_OFFSET_MASK) >> VM_PAGE_SHIFT);

    //
    // Allocate the vm block and pages
    //
    newVmBlock= (VmBlock *) malloc(sizeof(VmBlock));
    if (newVmBlock == NULL) {
        goto noMem1;
        }

    newVmBlock->size= numPages;
    newVmBlock->pages= (VmPage *) malloc(sizeof(VmPage) * numPages);
    if (newVmBlock->pages == NULL) {
        goto noMem2;
        }

    for (i= 0; i < numPages; i++) {

        page= &newVmBlock->pages[i];

        page->pageNum= i;
        page->secondaryKind= VM_SEC_UNALLOCATED;
        page->sec.disk= NULL;
        page->convBuff= NULL;
        page->offset= 0;
        page->wired= 0;
        page->dirty= FALSE;
        }

    //
    // Link it into the list of blocks
    //
    ENQUE_H(VmBlock, newVmBlock, firstVmBlock, lastVmBlock);

    //
    // Finally return the handle
    //
    *handle= (DWORD) newVmBlock;

    return VMErrOK;

    //
    // Error handling
```

```
    //
noMem2:
    free(newVmBlock);

noMem1:
    return VMErrNoConv;
}


int vm_free(handle)

    DWORD                handle;

{

    int                  i;
    VmBlock              *vmBlock;


    vmBlock= (VmBlock *) handle;

    //
    //  One by one, free up the pages.
    //
    for (i= 0; i < vmBlock->size; i++) {
        vm_freeVmPage(&vmBlock->pages[i]);
        }

    //
    //  Free the page array
    //
    free(vmBlock->pages);
    //
    //  Unlink the block
    //
    DEQUE(VmBlock, vmBlock, firstVmBlock, lastVmBlock);

    //
    //  Finally, free it up
    //
    free(vmBlock);

    return VMErrOK;
}


void vm_freeVmPage(vmPage)

    VmPage               *vmPage;

{

    //
    //  First free the secondary memory page
    //
    switch (vmPage->secondaryKind) {
    case VM_SEC_UNALLOCATED:
```

```
                break;

            case VM_SEC_DISK:
                vm_freeDiskPage(vmPage->sec.disk);
                break;

            case VM_SEC_EMS:
                vm_freeEmsPage(vmPage->sec.ems);
                break;

            case VM_SEC_XMS:
                vm_freeXmsPage(vmPage->sec.xms);
                break;
            }

        //
        //  Now free the primary memory page (if it's in memory)
        //
        if (vmPage->convBuff && vmPage->convBuff != PFABUFF) {
            vm_freeConvBuff(vmPage->convBuff);
            }
}


void vm_freeDiskPage(diskPage)

    DiskPage            *diskPage;

{

    //
    //  First remove it from the list of disk pages.
    //
    DEQUE(DiskPage, diskPage, disk.firstPage, disk.lastPage);
    //
    //  Now add the space to the free list
    //
    vm_addFree(0, diskPage->pageNum, 1,
                    &disk.firstFree, &disk.lastFree);

    //
    //  Finally free the actual memory.
    //
    free(diskPage);
}

void vm_freeEmsPage(emsPage)

    EmsPage             *emsPage;

{

    //
    //  First remove it from the list of disk pages.
    //
    if (emsPage->vmPage->wired) {
        DEQUE(EmsPage, emsPage, ems.firstWired, ems.lastWired);
        }
```

```
    else {
        DEQUE(EmsPage, emsPage, ems.mruPage, ems.lruPage);
        }


    //
    //  Now add the space to the free list
    //
    vm_addFree((DWORD) emsPage->emsBuff,
                emsPage->pageNum,
                1,
                &ems.firstFree,
                &ems.lastFree);
    emsPage->emsBuff->useCount--;


    //
    //  This may have emptied the buffer. If so, free the buffer.
    //
    if (emsPage->emsBuff->useCount == 0) {
        vm_freeEmsBuff(emsPage->emsBuff);
        }


    //
    //  Finally free the actual memory.
    //
    free(emsPage);

}

void vm_freeXmsPage(xmsPage)

    XmsPage           *xmsPage;

{

    //
    //  First remove it from the list of disk pages.
    //
    if (xmsPage->vmPage->wired) {
        DEQUE(XmsPage, xmsPage, xms.firstWired, xms.lastWired);
        }
    else {
        DEQUE(XmsPage, xmsPage, xms.mruPage, xms.lruPage);
        }


    //
    //  Now add the space to the free list
    //
    vm_addFree((DWORD) xmsPage->xmsBuff,
                xmsPage->pageNum,
                1,
                &xms.firstFree,
                &xms.lastFree);
    xmsPage->xmsBuff->useCount--;


    //
    //  This may have emptied the buffer. If so, free the buffer.
    //
    if (xmsPage->xmsBuff->useCount == 0) {
```

```
                    vm_freeXmsBuff(xmsPage->xmsBuff);
                    }

            //
            //  Finally free the actual memory.
            //
            free(xmsPage);

    }

    void vm_freeConvBuff(convBuff)

        ConvBuff            *convBuff;

    {

        DWORD               i;
        WORD                pageNum;


            //
            //  First go through all of the pages in the buffer
            //  removing references to this buffer.
            //
            for (i= 0, pageNum= convBuff->startPage;
                        i < convBuff->buffSize;
                            i++, pageNum++) {
                convBuff->vmBlock->pages[pageNum].convBuff= NULL;
                convBuff->vmBlock->pages[pageNum].offset= 0;
                    }

            //
            //  Remove the buffer from the buffer list
            //
            DEQUE(ConvBuff, convBuff, conv.mruBuff, conv.lruBuff);
            //
            //  Free the buffer memory
            //
            farfree((char *) convBuff->address);

            //
            //  Finally, free the descriptor itself
            //
            free(convBuff);

    }

    void vm_freeEmsBuff(emsBuff)

        EmsBuff             *emsBuff;

    {

        FreeArea            *currFreeArea;
        FreeArea            *nextFreeArea;


            //
            //  First remove it from the ems buffer list
            //
```

```
    DEQUE(EmsBuff, emsBuff, ems.firstBuff, ems.lastBuff);


    //
    //  Now release the EMS memory
    //
    if (ems_freeEM(emsBuff->handle)) {
        // Error
        }


    //
    //  Now go through the free memory chain removing any references
    //  to this buffer
    //
    for (currFreeArea= ems.firstFree; currFreeArea; currFreeArea= nextFreeArea) {
        nextFreeArea= currFreeArea->next;

        if (currFreeArea->handle == (DWORD) emsBuff) {
            DEQUE(FreeArea, currFreeArea, ems.firstFree, ems.lastFree);
            free(currFreeArea);
            }
        }


    //
    //  Now release the buffer descriptor
    //
    free(emsBuff);

}

void vm_freeXmsBuff(xmsBuff)

    XmsBuff             *xmsBuff;

{

    FreeArea            *currFreeArea;
    FreeArea            *nextFreeArea;


    //
    //  First remove it from the xms buffer list
    //
    DEQUE(XmsBuff, xmsBuff, xms.firstBuff, xms.lastBuff);


    //
    //  Now release the XMS memory
    //
    if (xms_freeXM(xmsBuff->handle)) {
        // Error
        }


    //
    //  Now go through the free memory chain removing any references
    //  to this buffer
    //
    for (currFreeArea= xms.firstFree; currFreeArea; currFreeArea= nextFreeArea) {
        nextFreeArea= currFreeArea->next;

        if (currFreeArea->handle == (DWORD) xmsBuff) {
            DEQUE(FreeArea, currFreeArea, xms.firstFree, xms.lastFree);
```

```
                free(currFreeArea);
                }
            }

        //
        //  Now release the buffer descriptor
        //
        free(xmsBuff);

    }
```

Figure 6-8 presents the source code listing to VMWIRE.C. This source file contains the code to functions that permit the wiring and unwiring of VMM pages.

**6-8** The source code listing to VMWIRE.C.

```
///////////////////////////////////////
//
// vmwire.c --      Wire and unwire VM pages
//
//       Defines routines for wiring and unwiring VM pages.
// wiring a page makes it accessable to a program. Unwiring
// indicates that the page is will not be needed until it is
// wired again.
//
///////////////////////////////////////


//
// include standard I/O functions
//
#include <stdio.h>
#include <stdlib.h>
#include <string.h>
#include <dos.h>

//
// include memory management header files
//
#include "gdefs.h"
#include "xms.h"
#include "ems.h"
#include "vmintern.h"


int     vm_wire(handle, areaOffset, areaSize, areaAddress)

    DWORD           handle;
    DWORD           areaOffset;
    DWORD           areaSize;
    char          **areaAddress;


{

    WORD            startPage;
    WORD            endPage;
    WORD            pageNum;
```

```
WORD              offset;

ConvBuff          *blockBuffer;

VmBlock           *vmBlock;
VmPage            *vmPage;

int               error;
int               contiguous;
int               pageWired;
int               resident;

//
//   Start by casting the handle into an appropriate pointer.
//
vmBlock= (VmBlock *) handle;


//
//   Let's translate the offset and size into page
//   values.
//   The offset is truncated to a page number, and the
//   size is rounded up to a page number.
//
startPage= (WORD) (areaOffset >> VM_PAGE_SHIFT);
endPage= (WORD) ((areaOffset + areaSize - 1) >> VM_PAGE_SHIFT);
offset= (WORD) (areaOffset & VM_PAGE_OFFSET_MASK);


//
//   Make sure the pages are within the bounds of the block:
//
if (endPage >= vmBlock->size) {
    return (errno= VMErrBounds);
    }


//
//   We need to see whether the pages are wired or resident already.
//   If there is an already wired page in the set, it cannot be moved.
//   Otherwise, we would invalidate the address returned to the caller
//   who wired it. Since it cannot be moved, we must have room in its
//   buffer for all of the other pages that we are loading. If there
//   is room in the buffer, then the other pages we are mapping will
//   be there, since we do not replace individual pages in a buffer.
//   This, though, does not hold true for the PFA, so we make an
//   exception.
//


//
//   blockBuffer will hold the convBuff address for the resident
//   pages. contiguous will flag whether all of the resident pages
//   are in the same buffer. If there is a wired page, they must
//   be.
//
contiguous= TRUE;
resident= TRUE;
pageWired= FALSE;
blockBuffer= vmBlock->pages[startPage].convBuff;
for (pageNum= startPage; pageNum <= endPage; pageNum++) {
    vmPage= &vmBlock->pages[pageNum];
```

```
            if (!vmPage->convBuff) {
                resident= FALSE;
                }

            if (vmPage->wired) {
                if (!contiguous) {
                    goto badWireError;
                    }
                pageWired= TRUE;
                }

            if (vmPage->convBuff != blockBuffer) {
                if (pageWired) {
                    goto badWireError;
                    }
                contiguous= FALSE;
                }
            }

//
//   OK, we're good. Either we already have the pages in a
//   contiguous block, or none of them are wired.
//   blockBuffer tells us which is the case.
//
if (!resident || !contiguous) {
    //
    //   Oh well, we have to do some work. I hate it when that happens.
    //
    //   Where to begin, where to begin ?  I know, let's call another
    //   routine to do the mapping. This will give the appearance of
    //   progress.
    //
    error= vm_faultInPages(vmBlock, startPage, endPage);
    if (error) {
        return (error);
        }
    }
else {
    //
    //   We need to move stuff from the LRU queues to
    //   the wired queues.
    //
    if (!vmBlock->pages[startPage].convBuff->wiredPages) {
        DEQUE(ConvBuff, vmBlock->pages[startPage].convBuff,
                    conv.mruBuff, conv.lruBuff);
        ENQUE_T(ConvBuff, vmBlock->pages[startPage].convBuff,
                    conv.firstWired, conv.lastWired);
        }

    }

//
//   Everythings resident. Let's go through, upping the
//   wire counts, and then return the address of the first page
//
for (pageNum= startPage; pageNum <= endPage; pageNum++) {
    if (!vmBlock->pages[pageNum].wired &&
            vmBlock->pages[pageNum].convBuff != PFABUFF) {
        vmBlock->pages[pageNum].convBuff->wiredPages++;
        }
```

```
    vmBlock->pages[pageNum].wired++;

    vm_moveSecPageToWired(&vmBlock->pages[pageNum]);
    }


//
//  We're set, let's return the address.
//
vmPage= &vmBlock->pages[startPage];
if (vmPage->convBuff == PFABUFF) {
    *areaAddress= ems.pageFrame[0] + (WORD) vmPage->offset + offset;
    }
else {
    *areaAddress= (char *) (vmPage->convBuff->address +
                                    vmPage->offset + offset);

    }

return (errno= VMErrOK);

badWireError:
    return (errno= VMErrBadWire);
}

int     vm_faultInPages(vmBlock, startPage, endPage)

    VmBlock             *vmBlock;
    WORD                startPage;
    WORD                endPage;

{

    //
    //  Let's promote these pages to EMS or XMS (if possible and
    //  necessary).
    //  This achieves two purposes. First, we get the pages into
    //  EMS if possible so that we can map them into the PFA, which
    //  is our fastest mapping method. Second, if the pages are on
    //  disk, they are promoted to EMS or XMS so that we maintain
    //  the most recently used pages in EMS or XMS as opposed to disk.
    //
    //  We'll try EMS, if that fails, for example, because the system
    //  has no EMS, we'll try XMS. If that fails, then OK, we'll get
    //  the pages from disk. The only real reason for vm_faultToDisk
    //  is to handle the possibility that the pages are unallocated.
    //
    if (vm_faultToEMS(vmBlock, startPage, endPage)) {
        if (vm_faultToXMS(vmBlock, startPage, endPage)) {
            vm_faultToDisk(vmBlock, startPage, endPage);
            }
        }

    //
    //  OK, the pages are in the best secondary memory we have.
    //  Let's see if we can map them into the EMS PFA
    //
    if (vm_tryMapPFA(vmBlock, startPage, endPage) == VMErrOK) {
        return (errno= VMErrOK);
        }
```

```
        //
        //  That didn't work. Let's put it into a normal buffer
        //
        if (vm_tryMapConv(vmBlock, startPage, endPage) == VMErrOK) {
            return (errno= VMErrOK);
            }


        //
        //  That didn't work either. We're out of luck.
        //
        return (errno);
}


int     vm_faultToEMS(vmBlock, startPage, endPage)

    VmBlock             *vmBlock;
    WORD                startPage;
    WORD                endPage;


{

    EmsPage             *emsPage;
    EmsPage             *nextEmsPage;
    EmsPage             *emsPageChain;

    VmPage              *vmPage;

    WORD                pageNum;
    int                 nonEMSPages;

    if (!emsPresent) {
        //
        //  We don't even have EMS. Let's give an error
        //
        return TRUE;
        }


    //
    //  First go through and see how many pages are not in EMS
    //
    nonEMSPages= 0;
    for (pageNum= startPage; pageNum <= endPage; pageNum++) {
        if (vmBlock->pages[pageNum].secondaryKind < VM_SEC_EMS) {
            nonEMSPages++;
            }
        }

    //
    //  Now let's get as many pages as we can. This will include
    //  swapping older pages from EMS to disk.
    //
    vm_getEMSPages(nonEMSPages,  ageChain);

    //
    //  Let's promote as many pages as possible.
    //
    pageNum= startPage;
    emsPage= emsPageChain;
```

```
    for (pageNum= startPage; pageNum <= endPage; pageNum++) {

        vmPage= &vmBlock->pages[pageNum];

        //
        //  If this is one of the nonEMS pages, we need to take
        //  an emsPage and promote it.
        //
        if (vmPage->secondaryKind < VM_SEC_EMS) {
            //
            //  Before anything else, let's see if there's a
            //  page left.
            //
            if (emsPage == NULL) {
                break;
                }

            //
            //  Promotion will enque the page, so we need to get
            //  its "next" pointer now.
            //
            nextEmsPage= emsPage->next;

            vm_promoteToEMS(vmPage, emsPage);

            emsPage= nextEmsPage;
            }
        }

    if (pageNum <= endPage) {
        //
        //  We weren't able to promote all of the pages. Return
        //  a flag to that effect.
        //
        return TRUE;
        }

    return FALSE;
}


int     vm_faultToXMS(vmBlock, startPage, endPage)

    VmBlock             *vmBlock;
    WORD                startPage;
    WORD                endPage;

{

    XmsPage             *xmsPage;
    XmsPage             *nextXmsPage;
    XmsPage             *xmsPageChain;

    VmPage              *vmPage;

    WORD                pageNum;
    int                 nonXMSPages;

    if (!xmsPresent) {
```

```
        //
        //  We don't even have XMS. Let's give an error
        //
        return TRUE;
        }


    //
    //  First go through and see how many pages are not in XMS
    //
    nonXMSPages= 0;
    for (pageNum= startPage; pageNum <= endPage; pageNum++) {
        if (vmBlock->pages[pageNum].secondaryKind < VM_SEC_XMS) {
            nonXMSPages++;
            }
        }

    //
    //  Now let's get as many pages as we can. This will include
    //  swapping older pages from XMS to disk.
    //
    vm_getXMSPages(nonXMSPages, &xmsPageChain);

    //
    //  Let's promote as many pages as possible.
    //
    pageNum= startPage;
    xmsPage= xmsPageChain;
    for (pageNum= startPage; pageNum <= endPage; pageNum++) {

        vmPage= &vmBlock->pages[pageNum];

        //
        //  If this is one of the nonXMS pages, we need to take
        //  an emsPage and promote it.
        //
        if (vmPage->secondaryKind < VM_SEC_XMS) {
            //
            //  Before anything else, let's see if there's a
            //  page left.
            //
            if (xmsPage == NULL) {
                break;
                }

            //
            //  Promotion will enque the page, so we need to get
            //  its "next" pointer now.
            //
            nextXmsPage= xmsPage->next;

            vm_promoteToXMS(vmPage, xmsPage);

            xmsPage= nextXmsPage;
            }
        }

    if (pageNum <= endPage) {
        //
        //  We weren't able to promote all of the pages. Return
```

```
            //   a flag to that effect.
            //
            return TRUE;
            }

      return FALSE;
}

int     vm_faultToDisk(vmBlock, startPage, endPage)

      VmBlock             *vmBlock;
      WORD                startPage;
      WORD                endPage;

{

      DiskPage            *diskPage;
      DiskPage            *nextDiskPage;
      DiskPage            *diskPageChain;

      WORD                pageNum;
      int                 nonDiskPages;

      //
      //   First go through and see how many pages are not allocated
      //
      nonDiskPages= 0;
      for (pageNum= startPage; pageNum <= endPage; pageNum++) {
          if (vmBlock->pages[pageNum].secondaryKind < VM_SEC_DISK) {
              nonDiskPages++;
              }
          }

      //
      //   Now let's get as many pages as we can. This will include
      //   swapping older pages from Disk to disk.
      //
      vm_getDiskPages(nonDiskPages, &diskPageChain);

      //
      //   Let's promote as many pages as possible.
      //
      pageNum= startPage;
      diskPage= diskPageChain;
      while (diskPage) {
          //
          //   If this is one of the non Disk pages, we need to take
          //   an diskPage and promote it.
          //
          if (vmBlock->pages[pageNum].secondaryKind < VM_SEC_DISK) {
              //
              //   Promotion will enque the Disk page, so we need to
              //   get the "next" pointer now.
              //
              nextDiskPage= diskPage->next;

              vm_promoteToDisk(&vmBlock->pages[pageNum], diskPage);

              diskPage= nextDiskPage;
```

```
                    }

            pageNum++;
            }

        if (pageNum <= endPage) {
            //
            //    We weren't able to promote all of the pages. Return
            //    a flag to that effect.
            //
            return TRUE;
            }

        return FALSE;
    }

void    vm_getEMSPages(number, chain)

    int                 number;
    EmsPage             **chain;


    {

        EmsPage             *newEmsPage;
        EmsPage             *tmpEmsPage;
        EmsBuff             *newEmsBuff;

        WORD                freePages;
        WORD                totalPages;
        WORD                requestNum;
        WORD                pageHandle;

        //
        //  Start by making the return chain empty.
        //
        *chain= NULL;


        //
        //  Now try to get pages as we can up to the number requested.
        //
        while (number) {
            if (ems.firstFree) {
                //
                //    We've got some free pages.
                //    Create an EmsPage and fill it in.
                //
                newEmsPage= (EmsPage *) malloc(sizeof(EmsPage));
                newEmsPage->emsBuff= (EmsBuff *) ems.firstFree->handle;
                newEmsPage->pageNum= (WORD) ems.firstFree->start;
                newEmsPage->secondaryQueue= VM_Q_FREE;

                //
                //    Bump the buffer's use count.
                //
                newEmsPage->emsBuff->useCount++;

                //
                //    Remove the page from the free chain.
                //
                ems.firstFree->size--;
```

```
    ems.firstFree->start++;
    if (ems.firstFree->size == 0) {
        DEQUE(FreeArea, ems.firstFree, ems.firstFree, ems.lastFree);
        }

    //
    //  Add our new page to the return list.
    //
    newEmsPage->next= *chain;
    *chain= newEmsPage;

    //
    //  We've added a page. Decrement "number";
    //
    number--;
    }
else {
    //
    //  Nothing on the free chain. Look into EMS from the
    //  EMS manager.
    //

if (ems_getFreeEM(&totalPages, &freePages)) {
    ems_demoError("ems_getNumPages");
    }

if (freePages) {
    //
    //  We've got some EMS left.
    //  Allocate a block of EMS. We've computed this size
    //  so that we can use all of EMS with the available
    //  handles.
    //
    requestNum= min(ems.emsBlockSize, freePages);
    if (ems_allocEM(requestNum, &pageHandle)) {
        ems_demoError("ems_allocEM");
        }
    newEmsBuff= (EmsBuff *) malloc(sizeof(EmsBuff));
    newEmsBuff->buffSize= requestNum;
    newEmsBuff->handle= pageHandle;
    newEmsBuff->useCount= 0;
    ENQUE_H(EmsBuff, newEmsBuff, ems.firstBuff, ems.lastBuff);

    //
    //  Put the pages on the free chain.
    //
    vm_addFree((DWORD) newEmsBuff, 0,
                    requestNum, &ems.firstFree, &ems.lastFree);

    //
    //  We haven't actually returned a page, so
    //  we don't decrement "number"
    //
    }
else {
    //
    //  We've got no EMS. Let's start throwing stuff out.
    //
    if (ems.lruPage) {
```

```c
                        //
                        //   Pull the least recently used page.
                        //
                        tmpEmsPage= ems.lruPage;
                        DEQUE(EmsPage, tmpEmsPage, ems.mruPage, ems.lruPage);
                        tmpEmsPage->secondaryQueue= VM_Q_FREE;

                        //
                        //   Demote it to Disk or disk.
                        //
                        vm_demoteFromEMS(tmpEmsPage);

                        //
                        //   Enque the newly available page to the return chain.
                        //
                        tmpEmsPage->next= *chain;
                        *chain= tmpEmsPage;

                        number--;
                    }
                else {
                    //
                    //   We're totally out of EMS. Let's just return.

                        //   We've done the best we could.
                        //
                        return;
                    }
                }
            }
        }
}

void    vm_getXMSPages(number, chain)

    int                 number;
    XmsPage             **chain;

{

    XmsPage             *newXmsPage;
    XmsPage             *tmpXmsPage;
    XmsBuff             *newXmsBuff;

    WORD                freePages;
    WORD                contiguousPages;
    WORD                requestNum;
    WORD                pageHandle;

    //
    //   Start by making the return chain empty.
    //
    *chain= NULL;

    //
    //   Now try to get pages as we can up to the number requested.
    //
    while (number) {
        if (xms.firstFree) {
            //
```

```
        //  We've got some free pages.
        //  Create an XmsPage and fill it in.
        //
        newXmsPage= (XmsPage *) malloc(sizeof(XmsPage));
        newXmsPage->xmsBuff= (XmsBuff *) xms.firstFree->handle;
        newXmsPage->pageNum= (WORD) xms.firstFree->start;
        newXmsPage->secondaryQueue= VM_Q_FREE;


        //
        //  Bump the buffer's use count.
        //
        newXmsPage->xmsBuff->useCount++;


        //
        //  Remove the page from the free chain.
        //
        xms.firstFree->size--;
        xms.firstFree->start++;
        if (xms.firstFree->size == 0) {
            DEQUE(FreeArea, xms.firstFree, xms.firstFree, xms.lastFree);
        }


        //
        //  Add our new page to the return list.
        //
        newXmsPage->next= *chain;
        *chain= newXmsPage;


        //
        //  We've added a page. Decrement "number";
        //
        number--;
    }
else {
        //
        //  Nothing on the free chain. Look into XMS from the
        //  XMS manager.
        //
        if (xms_getFreeXM(&freePages, &contiguousPages)) {
            if (errno == XMSErrNoXMLeft) {
                contiguousPages= 0;
            }
            else {
                xms_demoError("xms_getFreeXM");
            }
        }
        contiguousPages/= VM_PAGE_SIZE/XMS_PAGE_SIZE;

        if (contiguousPages) {
            //
            //  We've got some XMS left.
            //  Try to allocate as much as we can to satisfy
            //  our needs.
            //
            requestNum= min(xms.xmsBlockSize, contiguousPages);
            if (xms_allocXM(requestNum*(VM_PAGE_SIZE/XMS_PAGE_SIZE),
                    &pageHandle)) {
                xms_demoError("xms_allocXM");
```

```
                                }
                            newXmsBuff= (XmsBuff *) malloc(sizeof(XmsBuff));
                            newXmsBuff->buffSize= requestNum;
                            newXmsBuff->handle= pageHandle;
                            newXmsBuff->useCount= 0;
                            ENQUE_H(XmsBuff, newXmsBuff, xms.firstBuff, xms.lastBuff);

                            //
                            //  Put the pages on the free chain.
                            //
                            vm_addFree((DWORD) newXmsBuff, 0,
                                        requestNum, &xms.firstFree, &xms.lastFree);

                            //
                            //  We haven't actually returned a page, so
                            //  we don't decrement "number"
                            //
                            }
                    else {
                            //
                            //  We've got no XMS. Let's start throwing stuff out.
                            //
                            if (xms.lruPage) {
                                    //
                                    //  Pull the least recently used page.
                                    //

                                    tmpXmsPage= xms.lruPage;
                                    DEQUE(XmsPage, tmpXmsPage, xms.mruPage, xms.lruPage);
                                    tmpXmsPage->secondaryQueue= VM_Q_FREE;

                                    //
                                    //  Demote it to disk.
                                    //
                                    vm_demoteFromXMS(tmpXmsPage);

                                    //
                                    //  Enque the newly available page to the return chain.
                                    //
                                    tmpXmsPage->next= *chain;
                                    *chain= tmpXmsPage;

                                    number--;
                                    }
                            else {
                                    //
                                    //  We're totally out of XMS. Let's just return.
                                    //  We've done the best we could.
                                    //
                                    return;
                                    }
                            }
                    }
            }
    }

void     vm_getDiskPages(number, chain)

    int                 number;
    DiskPage            **chain;
```

```
{
    DiskPage            *newDiskPage;
    DiskPage            *lastDiskPage;

//
//  Start by making the return chain empty.
//
*chain= NULL;
lastDiskPage= NULL;

//
//  Now try to get pages as we can up to the number requested.
//  We enque pages in order rather than in reverse order as in
//  the getXMS and getEMS functions because we want to write
//  pages in order to minimize disk access if we're extending EOF.
//
while (number) {
    if (disk.firstFree) {
        //
        //  We've got some free pages.
        //  Create an DiskPage and fill it in.
        //
        newDiskPage= (DiskPage *) malloc(sizeof(DiskPage));
        newDiskPage->pageNum= (WORD) disk.firstFree->start;
        //
        //  Remove the page from the free chain.
        //
        disk.firstFree->size--;
        disk.firstFree->start++;
        if (disk.firstFree->size == 0) {
            DEQUE(FreeArea, disk.firstFree,
                        disk.firstFree, disk.lastFree);
            }


        //
        //  Add our new page to the return list.
        //
        newDiskPage->next= NULL;
        if (lastDiskPage) {
            lastDiskPage->next= newDiskPage;
            }
        else {
            *chain= newDiskPage;
            }
        lastDiskPage= newDiskPage;


        //
        //  We've added a page. Decrement "number";
        //
        number--;
        }
    else {
        //
        //  Put an appropriate number of pages on the free chain
        //  starting at the current end of file.
        //
        vm_addFree(0, disk.fileSize,
                        number, &disk.firstFree, &disk.lastFree);
```

```
                    //
                    //  Advance the EOF marker.
                    //
                    disk.fileSize+= number;

                    //
                    //  We haven't actually returned a page, so
                    //  we don't decrement "number"
                    //
                    }
            }
}


void    vm_promoteToEMS(vmPage, emsPage)

    VmPage              *vmPage;
    EmsPage             *emsPage;

{

    XMS_MovePacket      xmsMovePk;


    //
    //  First off, let's see if the page is already in EMS. If so
    //  we're done.
    //
    if (vmPage->secondaryKind == VM_SEC_EMS) {
        return;
        }

    //
    //  We need to save the page map (pages in PFA), map the page, and then
    //  xfer the data to the mapped page, then restore the page map.
    //


    //
    //  Save the current state of the PFA
    //
    if (ems_savePageMap(emsPage->emsBuff->handle)) {
        ems_demoError("ems_savePageMap");
        }


    //
    //  Map the EMS page into the first page of the PFA
    //
    if (ems_mapPage(0, emsPage->pageNum, emsPage->emsBuff->handle)) {
        ems_demoError("ems_mapPage");
        }


    //
    //  Let's do the xfer:
    //
    switch (vmPage->secondaryKind) {
    case VM_SEC_UNALLOCATED:
        //
        //  The page is as yet unallocated. Zero it out.
        //
        memset(ems.pageFrame[0], 0, VM_PAGE_SIZE);
        break;
```

```
case VM_SEC_DISK:
    //
    //   The page is on disk. Read it in.
    //
    if (fseek(disk.channel, (DWORD) vmPage->sec.disk->pageNum * VM_PAGE_SIZE, SEEK_SET)) {
        vm_fatal("fseek");
        }
    if (!fread(ems.pageFrame[0], VM_PAGE_SIZE, 1, disk.channel)) {
        vm_fatal("fread");
        }

    //
    //   Free the disk page.
    //
    vm_addFree(0, vmPage->sec.disk->pageNum, 1,
                &disk.firstFree, &disk.lastFree);

    //
    //   Release the disk page descriptor.
    //
    vm_dequeSecPage(vmPage);
    free(vmPage->sec.disk);

    break;

case VM_SEC_XMS:
    //
    //   The page is in XMS. Let's xfer it in.
    //
    xmsMovePk.length= VM_PAGE_SIZE;
    xmsMovePk.srcHandle= vmPage->sec.xms->xmsBuff->handle;
    xmsMovePk.srcOffset= (DWORD) vmPage->sec.xms->pageNum * VM_PAGE_SIZE;
    xmsMovePk.destHandle= 0;
    xmsMovePk.destOffset= (DWORD) ems.pageFrame[0];
    if (xms_moveXM(&xmsMovePk)) {
        xms_demoError("xms_moveXM");
        }

    //
    //   Free the xms page.
    //
    vm_addFree((DWORD) vmPage->sec.xms->xmsBuff,
                vmPage->sec.xms->pageNum, 1,
                &xms.firstFree, &xms.lastFree);

    //
    //   Release the xms page descriptor.
    //
    vm_dequeSecPage(vmPage);
    free(vmPage->sec.xms);

    break;

default:
    vm_fatal("Bogus vmPage->secondaryKind");
    }

//
//   Set up the EMS page descriptor.
```

```
        //
        emsPage->vmPage= vmPage;
        vmPage->secondaryKind= VM_SEC_EMS;
        vmPage->sec.ems= emsPage;


        //
        //  Let's just restore the PFA map.
        //
        if (ems_restorePageMap(emsPage->emsBuff->handle)) {
            ems_demoError("ems_restorePageMap");
            }

    }

void    vm_promoteToXMS(vmPage, xmsPage)

    VmPage              *vmPage;
    XmsPage             *xmsPage;

{

    char                *pageBuff;
    XMS_MovePacket       xmsMovePk;

    //
    //  If EMS is initialized, we have a page of EMS to use as
    //  a buffer. Otherwise we need to use conventional memory.
    //
    if (emsPresent && ems.pageBuffHandle) {
        //
        //  Save the current page frame map.
        //
        if (ems_savePageMap(ems.pageBuffHandle)) {
            ems_demoError("ems_savePageMap");
            }


        //
        //  Map the EMS page into the first page of the PFA
        //
        if (ems_mapPage(0, 0, ems.pageBuffHandle)) {
            ems_demoError("ems_mapPage");
            }

        pageBuff= ems.pageFrame[0];
        }
    else {
        //
        //  No EMS, we need to use conventional memory.
        //
        pageBuff= malloc(VM_PAGE_SIZE);
        }

    //
    //  Let's do the xfer:
    //
    switch (vmPage->secondaryKind) {
    case VM_SEC_UNALLOCATED:
        //
        //  The page is as yet unallocated. Zero it out.
        //
```

```
        memset(pageBuff, 0, VM_PAGE_SIZE);
        break;

case VM_SEC_DISK:
    //
    //    The page is on disk. Read it in.
    //
    if (fseek(disk.channel, (DWORD) vmPage->sec.disk->pageNum * VM_PAGE_SIZE, SEEK_SET)) {
        vm_fatal("fseek");
        }
    if (!fread(pageBuff, VM_PAGE_SIZE, 1, disk.channel)) {
        vm_fatal("fread");
        }


    //
    //    Free the disk page.
    //
    vm_addFree(0, vmPage->sec.disk->pageNum, 1,
                    &disk.firstFree, &disk.lastFree);

    //
    //    Release the disk page descriptor.
    //
    vm_dequeSecPage(vmPage);
    free(vmPage->sec.disk);

    break;

default:
    vm_fatal("Bogus vmPage->secondaryKind");
    }

//
//    We have the page in memory. Let's transfer it to
//    XMS now.
//
xmsMovePk.length= VM_PAGE_SIZE;
xmsMovePk.srcHandle= 0;
xmsMovePk.srcOffset= (DWORD) pageBuff;
xmsMovePk.destHandle= xmsPage->xmsBuff->handle;
xmsMovePk.destOffset= (DWORD) xmsPage->pageNum * VM_PAGE_SIZE;
if (xms_moveXM(&xmsMovePk)) {
    xms_demoError("xms_moveXM");
    }

//
//    Set up the XMS page descriptor.
//
xmsPage->vmPage= vmPage;
vmPage->secondaryKind= VM_SEC_XMS;
vmPage->sec.xms= xmsPage;

//
//    Now release the buffer
//
if (emsPresent && ems.pageBuffHandle) {
    //
    //    Let's just restore the PFA map.
```

```
        //
        if (ems_restorePageMap(ems.pageBuffHandle)) {
            ems_demoError("ems_restorePageMap");
            }
        }
    else {
        //
        //   Free the conventional memory buffer
        //
        free(pageBuff);
        }

}

void    vm_promoteToDisk(vmPage, diskPage)

    VmPage              *vmPage;
    DiskPage            *diskPage;

{

    char                *pageBuff;

    //
    //   If EMS is initialized, we have a page of EMS to use as
    //   a buffer. Otherwise we need to use conventional memory.
    //

    if (emsPresent && ems.pageBuffHandle) {
        //
        //   Save the current page frame map.
        //
        if (ems_savePageMap(ems.pageBuffHandle)) {
            ems_demoError("ems_savePageMap");
            }

        //
        //   Map the EMS page into the first page of the PFA
        //
        if (ems_mapPage(0, 0, ems.pageBuffHandle)) {
            ems_demoError("ems_mapPage");
            }

        pageBuff= ems.pageFrame[0];
        }
    else {
        //
        //   No EMS, we need to use conventional memory.
        //
        pageBuff= malloc(VM_PAGE_SIZE);
        }

    //
    //   Let's do the xfer:
    //
    switch (vmPage->secondaryKind) {
    case VM_SEC_UNALLOCATED:
        //
        //   The page is as yet unallocated. Zero it out.
        //
```

```
        memset(pageBuff, 0, VM_PAGE_SIZE);
        break;

    default:
        vm_fatal("Bogus vmPage->secondaryKind");
        }

    //
    //  Let's write the thing to disk now.
    //
    if (fseek(disk.channel, (DWORD) diskPage->pageNum * VM_PAGE_SIZE, SEEK_SET)) {
        vm_fatal("fseek");
        }
    if (!fwrite(pageBuff, VM_PAGE_SIZE, 1, disk.channel)) {
        vm_fatal("write");
        }

    //
    //  Set up the Disk page descriptor.
    //
    diskPage->vmPage= vmPage;
    vmPage->secondaryKind= VM_SEC_DISK;
    vmPage->sec.disk= diskPage;

    //
    //  Enque to the list of pages
    //
    ENQUE_T(DiskPage, diskPage, disk.firstPage, disk.lastPage);

    //
    //  Now release the buffer
    //
    if (emsPresent && ems.pageBuffHandle) {
        //
        //  Let's just restore the PFA map.
        //
        if (ems_restorePageMap(ems.pageBuffHandle)) {
            ems_demoError("ems_restorePageMap");
            }
        }
    else {
        //
        //  Free the conventional memory buffer
        //
        free(pageBuff);
        }

}

void    vm_demoteFromEMS(emsPage)

    EmsPage             *emsPage;

{

    VmPage              *vmPage;
    XmsPage             *xmsPage;
    DiskPage            *diskPage;
```

```
        SecondaryKind        pageType;

        XMS_MovePacket       xmsMovePk;


        //
        //  Just get a handy pointer to the VM page
        //
        vmPage= emsPage->vmPage;


        //
        //  The first thing we need to do is to try to find a
        //  page to go to. We first try XMS, if that fails, we
        //  go to Disk.
        //
        vm_getXMSPages(1, &xmsPage);
        pageType= VM_SEC_XMS;
        if (xmsPage == NULL) {
            vm_getDiskPages(1, &diskPage);
            pageType= VM_SEC_DISK;
            }


        //
        //  We need to map the page. We'll save the current page map
        //  so we can restore it later.
        //


        //
        //  Save the current page frame map.
        //
        if (ems_savePageMap(emsPage->emsBuff->handle)) {
            ems_demoError("ems_savePageMap");
            }


        //
        //  Map the EMS page into the first page of the PFA
        //
        if (ems_mapPage(0, emsPage->pageNum, emsPage->emsBuff->handle)) {
            ems_demoError("ems_mapPage");
            }


        //
        //  Let's do the xfer:
        //
        switch (pageType) {
        case VM_SEC_DISK:
            //
            //  We're demoting to disk. Write the page out.
            //
            if (fseek(disk.channel, (DWORD) diskPage->pageNum * VM_PAGE_SIZE, SEEK_SET)) {
                vm_fatal("fseek");
                }
            if (!fwrite(ems.pageFrame[0], VM_PAGE_SIZE, 1, disk.channel)) {
                vm_fatal("write");
                }

            //
            //  Update the VM page, etc.
```

```
        //
        diskPage->vmPage= vmPage;
        vmPage->secondaryKind= VM_SEC_DISK;
        vmPage->sec.disk= diskPage;


        //
        //   Enque the disk page. Note that is will be the most
        //   recently used on disk.
        //
        ENQUE_H(DiskPage, diskPage, disk.firstPage, disk.lastPage);

        break;

    case VM_SEC_XMS:
        //
        //   We're demoting to XMS, let's move it on out.
        //
        xmsMovePk.length= VM_PAGE_SIZE;
        xmsMovePk.srcHandle= 0;
        xmsMovePk.srcOffset= (DWORD) ems.pageFrame[0];
        xmsMovePk.destHandle= xmsPage->xmsBuff->handle;
        xmsMovePk.destOffset= (DWORD) xmsPage->pageNum * VM_PAGE_SIZE;
        if (xms_moveXM(&xmsMovePk)) {
            xms_demoError("xms_moveXM");
            }


        //
        //   Update the VM page, etc.
        //
        xmsPage->vmPage= vmPage;
        vmPage->secondaryKind= VM_SEC_XMS;
        vmPage->sec.xms= xmsPage;


        //
        //   Enque the XMS page. Note that is will be the most
        //   recently used on XMS.
        //
        ENQUE_H(XmsPage, xmsPage, xms.mruPage, xms.lruPage);
        xmsPage->secondaryQueue= VM_Q_LRU;

        break;

    default:
        vm_fatal("Bogus vmPage->secondaryKind");
        }


    //
    //   Let's just restore the PFA map.
    //
    if (ems_restorePageMap(emsPage->emsBuff->handle)) {
        ems_demoError("ems_savePageMap");
        }

}


void    vm_demoteFromXMS(xmsPage)

    XmsPage              *xmsPage;
```

```c
{
    VmPage              *vmPage;
    DiskPage            *diskPage;

    XMS_MovePacket      xmsMovePk;

    char                *pageBuff;


    //
    //  Just get a handy pointer to the VM page
    //
    vmPage= xmsPage->vmPage;


    //
    //  The first thing we need to do is to try to find a
    //  page to go to.
    //
    vm_getDiskPages(1, &diskPage);


    //
    //  If EMS is initialized, we have a page of EMS to use as
    //  a buffer. Otherwise we need to use conventional memory.
    //
    if (emsPresent && ems.pageBuffHandle) {
        //
        //  Save the current page frame map.
        //
        if (ems_savePageMap(ems.pageBuffHandle)) {
            ems_demoError("ems_savePageMap");
            }


        //
        //  Map the EMS page into the first page of the PFA
        //
        if (ems_mapPage(0, 0, ems.pageBuffHandle)) {
            ems_demoError("ems_mapPage");
            }

        pageBuff= ems.pageFrame[0];
        }
    else {
        //
        //  No EMS, we need to use conventional memory.
        //
        pageBuff= malloc(VM_PAGE_SIZE);
        }

    //
    //  First let's transfer from the XMS page to the
    //  buffer.
    //
    xmsMovePk.length= VM_PAGE_SIZE;
    xmsMovePk.srcHandle= xmsPage->xmsBuff->handle;
    xmsMovePk.srcOffset= (DWORD) xmsPage->pageNum * VM_PAGE_SIZE;
    xmsMovePk.destHandle= 0;
    xmsMovePk.destOffset= (DWORD) pageBuff;
    if (xms_moveXM(&xmsMovePk)) {
```

```
        xms_demoError("xms_moveXM");
        }

//
//  Now transfer the page to disk
//
if (fseek(disk.channel, (DWORD) diskPage->pageNum * VM_PAGE_SIZE, SEEK_SET)) {
    vm_fatal("fseek");
    }
if (!fwrite(pageBuff, VM_PAGE_SIZE, 1, disk.channel)) {
    vm_fatal("write");
    }

//
//  Update the VM page, etc.
//
diskPage->vmPage= vmPage;
vmPage->secondaryKind= VM_SEC_DISK;
vmPage->sec.disk= diskPage;

//
//  Enque the disk page. Note that is will be the most
//  recently used on disk.
//
ENQUE_H(DiskPage, diskPage, disk.firstPage, disk.lastPage);


//
//  Now release the buffer
//
    if (emsPresent && ems.pageBuffHandle) {
        //
        //  Let's just restore the PFA map.
        //
        if (ems_restorePageMap(ems.pageBuffHandle)) {
            ems_demoError("ems_restorePageMap");
            }
        }
    else {
        //
        //  Free the conventional memory buffer
        //
        free(pageBuff);
        }

}

int     vm_tryMapPFA(vmBlock, startPage, endPage)

    VmBlock            *vmBlock;
    WORD               startPage;
    WORD               endPage;

{

    EmsPage            *emsPage;

    WORD               pageCount;
    WORD               pageNum;
```

```
        WORD                freeString;
        WORD                offset;
        WORD                i;

        //
        //  First, let's make a couple of quick checks:
        //      Can the pages fit in the PFA ?
        //      Are the page all in EMS ?
        //
        pageCount= endPage - startPage + 1;
        if (pageCount > EMS_PAGE_FRAME_SIZE) {
            return (errno= VMErrNoConv);
            }

        for (pageNum= startPage; pageNum <= endPage; pageNum++) {
            if (vmBlock->pages[pageNum].secondaryKind != VM_SEC_EMS) {
                return (errno= VMErrNoConv);
                }
            }

        //
        //  OK, the initial checks have passed. Let's see whether we
        //  actually have a block of pages in the PFA which we can use.
        //
        //  Note that we do not concern ourselves with lru-ness. Mapping
        //  pages is too fast to worry about it, since there is no
        //  data movement.
        //
        freeString= 0;
        for (offset= 0; offset < EMS_PAGE_FRAME_SIZE; offset++) {
            if (ems.contents[offset] == 0 ||
                    !ems.contents[offset]->vmPage->wired) {
                freeString++;
                }
            else {
                freeString= 0;
                }

            if (freeString >= pageCount) {
                offset= offset - freeString + 1;
                break;
                }
            }

        //
        //  If offset isn't in the PFA, we can't do anything.
        //
        if (offset >= EMS_PAGE_FRAME_SIZE) {
            return (errno= VMErrNoConv);
            }

        //
        //  Now we need to take any pages out of conventional memory
        //  buffers and flush them back to EMS.
        //
        for (pageNum= startPage; pageNum <= endPage; pageNum++) {
            vm_flushVmPage(&vmBlock->pages[pageNum]);
            }

        //
```

**6-8** Continued.

```
    //   Now let's mark the pages we're replacing as history.
    //
    for (pageNum= offset, i= 0; i < pageCount; i++, pageNum++) {
        if (ems.contents[pageNum]) {
            ems.contents[pageNum]->vmPage->convBuff= NULL;
            ems.contents[pageNum]->vmPage->offset= 0;
            }
        }


    //
    //   We're finally ready to map the pages.
    //
    for (pageNum= startPage; pageNum <= endPage; pageNum++) {
        emsPage= vmBlock->pages[pageNum].sec.ems;
        if (ems_mapPage(offset+(pageNum-startPage),
                        emsPage->pageNum,
                        emsPage->emsBuff->handle)) {
            ems_demoError("ems_mapPage");
            }

        //
        //   Note where we've mapped them.
        //
        ems.contents[offset+(pageNum-startPage)]= emsPage;
        emsPage->vmPage->convBuff= PFABUFF;
        emsPage->vmPage->offset= (offset+(pageNum-startPage)) * VM_PAGE_SIZE;
        }

    return (errno= VMErrOK);

}

int     vm_tryMapConv(vmBlock, startPage, endPage)

    VmBlock             *vmBlock;
    WORD                startPage;
    WORD                endPage;

{

    ConvBuff            *newConvBuff;

    WORD                pageNum;
    WORD                pageCount;
    DWORD               memNeeded;

    char                *newBuffSpace;



    //
    //   Get the number of pages.
    //
    pageCount= endPage - startPage + 1;


    //
    //   Free up buffers till we can get the buffer space.
    //
    memNeeded= (DWORD) pageCount * VM_PAGE_SIZE;
    while (memNeeded > conv.spaceAvail
```

```
                        || (newBuffSpace= farmalloc(memNeeded)) == NULL) {
                if (vm_freeLRUConvBuff()) {
                    return (errno= VMErrNoConv);
                    }
                }
            conv.spaceAvail-= memNeeded;

            //
            //   We've got memory for the buffer. Let's create a buffer header.
            //
            newConvBuff= (ConvBuff *) malloc(sizeof(ConvBuff));
            newConvBuff->buffSize= pageCount;
            newConvBuff->address= newBuffSpace;
            newConvBuff->vmBlock= vmBlock;
            newConvBuff->startPage= startPage;
            newConvBuff->wiredPages= 0;
            ENQUE_T(ConvBuff, newConvBuff, conv.firstWired, conv.lastWired);

            //
            //   OK, we've got a buffer. Let's bring in the pages.
            //
            for (pageNum= startPage; pageNum <= endPage; pageNum++) {
                vm_loadVmPage(&vmBlock->pages[pageNum], newConvBuff);
                }

            return (errno= VMErrOK);
        }

    void    vm_flushVmPage(vmPage)

        VmPage              *vmPage;

{


    XMS_MovePacket      xmsMovePk;
    EmsPage             *emsPage;

    char                *pageAddr;


    //
    //   If the page is dirty, and resident, write it to secondary
    //
    if (vmPage->dirty && vmPage->convBuff &&
                vmPage->convBuff != PFABUFF) {

        pageAddr= (char *) (vmPage->convBuff->address + vmPage->offset);

        switch(vmPage->secondaryKind) {
        case VM_SEC_UNALLOCATED:
            //
            //   The page is as yet unallocated. This is a NOP
            //
            break;

        case VM_SEC_DISK:
            //
            //   The page is on disk. Write it out
            //
            if (fseek(disk.channel, (DWORD) vmPage->sec.disk->pageNum * VM_PAGE_SIZE,
```

```
                SEEK_SET)) {
        vm_fatal("fseek");
        }
    if (!fwrite(pageAddr, VM_PAGE_SIZE, 1, disk.channel)) {
        vm_fatal("fwrite");
        }

    break;

case VM_SEC_XMS:
    //
    //   The page is in XMS. Let's xfer it out.
    //
    xmsMovePk.length= VM_PAGE_SIZE;
    xmsMovePk.srcHandle= 0;
    xmsMovePk.srcOffset= (DWORD) pageAddr;
    xmsMovePk.destHandle= vmPage->sec.xms->xmsBuff->handle;
    xmsMovePk.destOffset= (DWORD) vmPage->sec.xms->pageNum * VM_PAGE_SIZE;
    if (xms_moveXM(&xmsMovePk)) {
        xms_demoError("xms_moveXM");
        }

    break;

case VM_SEC_EMS:
    //
    //   Get and convenient handle on the emsPage.
    //
    emsPage= vmPage->sec.ems;

    //
    //   We need to save the PFA for a bit.
    //
    if (ems_savePageMap(emsPage->emsBuff->handle)) {
        ems_demoError("ems_savePageMap");
        }

    //
    //   Map the EMS page in.
    //
    if (ems_mapPage(0, emsPage->pageNum, emsPage->emsBuff->handle)) {
        ems_demoError("ems_mapPage");
        }

    //
    //   Copy the memory.
    //
    memcpy(ems.pageFrame[0], pageAddr, VM_PAGE_SIZE);

    //
    //   Restore the page map.
    //
    if (ems_restorePageMap(emsPage->emsBuff->handle)) {
        ems_demoError("ems_restorePageMap");
        }

    break;
```

```
            default:
                vm_fatal("Bogus vmPage->secondaryKind");
                }
        }

}

void    vm_loadVmPage(vmPage, convBuff)

    VmPage              *vmPage;
    ConvBuff            *convBuff;

{

    XMS_MovePacket      xmsMovePk;
    EmsPage             *emsPage;

    char                *pageAddr;

    //
    //  First figure out the address of the buffer.
    //
    vmPage->convBuff= convBuff;
    vmPage->offset= (DWORD) (vmPage->pageNum - convBuff->startPage) * VM_PAGE_SIZE;
    pageAddr= (char *) (vmPage->convBuff->address + vmPage->offset);

    switch(vmPage->secondaryKind) {
    case VM_SEC_DISK:
        //
        //  The page is on disk. Read it in.
        //
        if (fseek(disk.channel, (DWORD) vmPage->sec.disk->pageNum * VM_PAGE_SIZE,
                  SEEK_SET)) {
            vm_fatal("fseek");
            }
        if (!fread(pageAddr, VM_PAGE_SIZE, 1, disk.channel)) {
            vm_fatal("fread");
            }

        break;

    case VM_SEC_XMS:
        //
        //  The page is in XMS. Let's xfer it in.
        //
        xmsMovePk.length= VM_PAGE_SIZE;
        xmsMovePk.srcHandle= vmPage->sec.xms->xmsBuff->handle;
        xmsMovePk.srcOffset= (DWORD) vmPage->sec.xms->pageNum * VM_PAGE_SIZE;
        xmsMovePk.destHandle= 0;
        xmsMovePk.destOffset= (DWORD) pageAddr;
        if (xms_moveXM(&xmsMovePk)) {
            xms_demoError("xms_moveXM");
            }

        break;

    case VM_SEC_EMS:
        //
```

```
    //  Get and convenient handle on the emsPage.
    //
    emsPage= vmPage->sec.ems;


    //
    //  We need to save the PFA for a bit.
    //
    if (ems_savePageMap(emsPage->emsBuff->handle)) {
        ems_demoError("ems_savePageMap");
        }


    //
    //  Map the EMS page in.
    //
    if (ems_mapPage(0, emsPage->pageNum, emsPage->emsBuff->handle)) {
        ems_demoError("ems_mapPage");
        }


    //
    //  Copy the memory.
    //
    memcpy(pageAddr, ems.pageFrame[0], VM_PAGE_SIZE);


    //
    //  Restore the page map.
    //
    if (ems_restorePageMap(emsPage->emsBuff->handle)) {
        ems_demoError("ems_restorePageMap");
        }

    break;

default:
    vm_fatal("Bogus vmPage->secondaryKind");
    }
}


int     vm_freeLRUConvBuff()

{

    ConvBuff            *convBuff;
    VmBlock             *vmBlock;

    WORD                pageNum;
    WORD                i;



    //
    //  First, see if there is an unwired buffer, otherwise we're
    //  out of luck.
    //
    if (conv.lruBuff == NULL) {
        return (errno= VMErrNoConv);
        }


    //
    //  O.K, let's get rid of the LRU buffer.
```

```
            convBuff= conv.lruBuff;
            DEQUE(ConvBuff, convBuff, conv.mruBuff, conv.lruBuff);

            //
            //  Flush, and mark the virtual pages as gone.
            //
            vmBlock= convBuff->vmBlock;
            for (pageNum= convBuff->startPage, i= 0; i < convBuff->buffSize; pageNum++, i++) {
                vm_flushVmPage(&vmBlock->pages[pageNum]);

                vmBlock->pages[pageNum].convBuff= NULL;
                vmBlock->pages[pageNum].offset= 0;
                }

            //
            //  Free up the memory.
            //
            farfree((char *) convBuff->address);
            conv.spaceAvail+= (DWORD) convBuff->buffSize * VM_PAGE_SIZE;
            free(convBuff);

            return (errno= VMErrOK);
}

int     vm_unwire(handle, areaOffset, areaSize, dirty)

    DWORD               handle;
    DWORD               areaOffset;
    DWORD               areaSize;
    int                 dirty;

{

    WORD                startPage;
    WORD                endPage;
    WORD                pageNum;

    VmBlock             *vmBlock;
    VmPage              *vmPage;

    //
    //  Start by casting the handle into an appropriate pointer.
    //
    vmBlock= (VmBlock *) handle;

    //
    //  Let's translate the offset and size into page
    //  values.
    //  The offset is truncated to a page number, and the
    //  size is rounded up to a page number.
    //
    startPage= (WORD) (areaOffset >> VM_PAGE_SHIFT);
    endPage= (WORD) ((areaOffset + areaSize - 1) >> VM_PAGE_SHIFT);

    //
    //  Make sure the pages are within the bounds of the block:
    //
    if (endPage >= vmBlock->size) {
        return (errno= VMErrBounds);
        }
```

```
//
//  Now let's go through and make sure they're wired.
//
for (pageNum= startPage; pageNum <= endPage; pageNum++) {
    if (!vmBlock->pages[pageNum].wired) {
        return (errno= VMErrNotWired);
        }
    }

//
//  OK, all of the pages are wired. Let's unwire the pages and
//  mark them dirty as necessary.
//  If a buffer becomes totally unwired, we move it to the LRU
//  queue.
//
for (pageNum= startPage; pageNum <= endPage; pageNum++) {
    vmPage= &vmBlock->pages[pageNum];

    vmPage->dirty= vmPage->dirty || dirty;

    vmPage->wired--;
    if (!vmPage->wired && vmPage->convBuff != PFABUFF) {
        vmPage->convBuff->wiredPages--;
        if (vmPage->convBuff->wiredPages == 0) {
            //
            //  Move the buffer to the LRU.
            //
            DEQUE(ConvBuff, vmPage->convBuff, conv.firstWired, conv.lastWired);
            ENQUE_H(ConvBuff, vmPage->convBuff, conv.mruBuff, conv.lruBuff);
            }
        }

    //
    //  If the page is in EMS or XMS, move it from the wired
    //  queue to the LRU chain.
    //
    switch (vmPage->secondaryKind) {
    case VM_SEC_EMS:
        DEQUE(EmsPage, vmPage->sec.ems, ems.firstWired, ems.lastWired);
        ENQUE_H(EmsPage, vmPage->sec.ems, ems.mruPage, ems.lruPage);
        vmPage->sec.ems->secondaryQueue= VM_Q_LRU;
        break;
    case VM_SEC_XMS:
        DEQUE(XmsPage, vmPage->sec.xms, xms.firstWired, xms.lastWired);
        ENQUE_H(XmsPage, vmPage->sec.xms, xms.mruPage, xms.lruPage);
        vmPage->sec.xms->secondaryQueue= VM_Q_LRU;
        break;
    default:
        break;
        }
    }

    return (errno= VMErrOK);
}

void vm_moveSecPageToWired(vmPage)

    VmPage              *vmPage;
```

```
{
    switch (vmPage->secondaryKind) {
    case VM_SEC_EMS:
        if (vmPage->sec.ems->secondaryQueue == VM_Q_LRU) {
            DEQUE(EmsPage, vmPage->sec.ems, ems.mruPage, ems.lruPage);
            }
        if (vmPage->sec.ems->secondaryQueue != VM_Q_WIRED) {
            ENQUE_T(EmsPage, vmPage->sec.ems, ems.firstWired, ems.lastWired);
            }
        break;
    case VM_SEC_XMS:
        if (vmPage->sec.xms->secondaryQueue == VM_Q_LRU) {
            DEQUE(XmsPage, vmPage->sec.xms, xms.mruPage, xms.lruPage);
            }
        if (vmPage->sec.xms->secondaryQueue != VM_Q_WIRED) {
            ENQUE_T(XmsPage, vmPage->sec.xms, xms.firstWired, xms.lastWired);
            }
        break;
    default:
        break;
        }
}

void vm_dequeSecPage(vmPage)

    VmPage              *vmPage;

{

    switch (vmPage->secondaryKind) {
    case VM_SEC_EMS:
        if (vmPage->sec.ems->secondaryQueue == VM_Q_LRU) {
            DEQUE(EmsPage, vmPage->sec.ems, ems.mruPage, ems.lruPage);
            }
        else if (vmPage->sec.ems->secondaryQueue == VM_Q_WIRED) {
            DEQUE(EmsPage, vmPage->sec.ems, ems.firstWired, ems.lastWired);
            }
        vmPage->sec.ems->secondaryQueue= VM_Q_FREE;
        break;
    case VM_SEC_XMS:
        if (vmPage->sec.xms->secondaryQueue == VM_Q_LRU) {
            DEQUE(XmsPage, vmPage->sec.xms, xms.mruPage, xms.lruPage);
            }
        else if (vmPage->sec.xms->secondaryQueue == VM_Q_WIRED) {
            DEQUE(XmsPage, vmPage->sec.xms, xms.firstWired, xms.lastWired);
            }
        vmPage->sec.xms->secondaryQueue= VM_Q_FREE;
        break;
    case VM_SEC_DISK:
        DEQUE(DiskPage, vmPage->sec.disk, disk.firstPage, disk.lastPage);
        break;
    default:
        break;
        }
}
```

## Summary

In a very real sense the VMM is the crown jewel of the book because its foundation lies in the EMS and XMS functions presented earlier. Standard library I/O disk functions were used as a last resort when there wasn't enough EMS and XMS memory available to meet the needs of the program's VMM requests.

The Virtual Memory Manager (VMM) allows you to allocate and use blocks of memory far beyond the normal size associated with standard DOS-based memory allocation functions. The VMM pools EMS, XMS, and disk memory to meet the needs of the VMM block size request. The beauty of the VMM lies in the fact that it makes the complex task of tracking data in EMS, XMS, and on disk that is invisible to the applications programmer.

Figure 6-9 presents the source code listing to the VML.LIB file.

**6-9** The library listing for VML.LIB.

```
Publics by module

VMALLOC          size = 1595
    _vm_alloc                    _vm_free
    _vm_freeConvBuff             _vm_freeDiskPage
    _vm_freeEmsBuff              _vm_freeEmsPage
    _vm_freeVmPage               _vm_freeXmsBuff
    _vm_freeXmsPage

VMINIT           size = 1877
    _conv                        _disk
    _ems                         _emsPresent
    _firstVmBlock                _lastVmBlock
    _vm_init                     _vm_shutdown
    _xms                         _xmsPresent

VMUTIL           size = 995
    _vm_addFree                  _vm_deque
    _vm_enque                    _vm_fatal

VMWIRE           size = 8588
    _vm_demoteFromEMS            _vm_demoteFromXMS
    _vm_faultInPages             _vm_faultToDisk
    _vm_faultToEMS               _vm_faultToXMS
    _vm_flushVmPage              _vm_freeLRUConvBuff
    _vm_getDiskPages             _vm_getEMSPages
    _vm_getXMSPages              _vm_loadVmPage
    _vm_promoteToDisk            _vm_promoteToEMS
    _vm_promoteToXMS             _vm_tryMapConv
    _vm_tryMapPFA                _vm_unwire
    _vm_wire
```

# *Epilogue*

Please feel free to use the memory management functions presented in the book in your personal and commercial code. We hope that you had as much enjoyment from reading this book as we had in writing it.

We're always interested in how readers may use or react to the code presented in our books. Feel free to write us via the publisher if you have any comments or code you'd like to share with us. We'll try our best to write back as time permits.

Namasté,
Len and Marc

# Index

source code *cont.*

XMS0D.ASM, 218-219
XMS0E.ASM, 219-220
XMS0F.ASM, 221
XMSDefs.ASM, 202-203
XMSERR.C, 226-228
XMSINIT.ASM, 204-205
XMSL.LIB, 229
XMSRAW.ASM, 224-226

**T**

TASM, 10
Transient Program Area (TPA), 5

**U**

Upper Memory Block (UMB), 177

**V**

virtual memory manager (*see* VMM)
VMM, 231-298
advantages, 298
allocating buffer, 234
allocating free VM blocks, 258-265
allocating memory and initializing/reading it, 239-241
allocating memory block via VMM function, 235-238
architecture overview, 232-233
demonstration programs, 235-241
error code list, 233
freeing up allocated memory, 234
functions, 234-235
header files, 242-248

initializing, 234-238
initializing data structures, 248-254
LRU principle, 233
memory access speed, 233
memory pool, 231
overview, 231-232
page size, 232
shutting down, 234
unwiring page making buffer space available, 235
utility functions, 254-258
wiring a page, 235-238
wiring page for reading/writing, 235
wiring/unwiring pages, 232, 265-297

**X**

XMS, 2-3, 5
advantages, 6
using for dynamic memory allocation, 5
XMS 2.0, 177-229
allocating EMB, 213-214
allocating XMS for program use, 181-183
definition file, 202-203
demonstration programs, 178-200
disabling A20, 188-190
disabling global, 210
EMS function error reporting, 226-228
enabling A20, 188-190
enabling global A20, 209
freeing EMB, 214-215
freeing XMS for other

purposes, 181-183
function
prototypes/macros/error defines, 200-202
getting A20 state, 210-212
getting amount of free XMS, 181-183
getting block information, 196-200
getting extended memory handle information, 219-220
getting free extended memory, 212-213
getting the A20 state, 188-190
getting version number, 205-206
header file, 200-201
initializing, 203-205
locking EMB, 216-218
moving data to/from upper memory, 194-196
moving data to/from XMS using raw move, 190-193
moving EMB, 215-216
moving raw memory, 224-226
reallocating EMB, 220-221
releasing HMA, 208
releasing UMB, 223-224
reporting version of driver, 179-181
requesting HMA, 207-208
requesting UMB, 221-223
resizing blocks, 196-200
special functions, 205-228
testing for presence of XMS, 178-179
transferring data to/from, 183-187
unlocking EMB, 218-219

# *If you need help with the enclosed disk . . .*

The disk included in this book contains codes and programs appearing in *C Memory Management Techniques* (Book #4191), © 1993 by Len Dorfman and Marc J. Neuberger. This disk should contain five files, four of them being executable files:

INCLUDE.EXE        SOURCE.EXE
BCC LIB.EXE        MS7_LIB.EXE
README.TXT

The four files with the .EXE extension contain compressed program listings. However, you must uncompress them before you can use them.

First, you might find it more convenient to put these files on your hard drive. To create a subdirectory to place these files in, type

MKDIR    *directory-name*

at your hard drive prompt, where *directory-name* is what you want to name the subdirectory (probably the same name as that of the executable file on the disk—for example, "SOURCE" for "SOURCE.EXE").

Now you must uncompress these files into the newly created subdirectories on your hard drive. For example, if you want to uncompress the files from the SOURCE executable on the disk, simply place your disk in your floppy drive (probably drive B), change to the hard drive and to the subdirectory you just created (probably C:\SOURCE), and type

B:SOURCE

The files in the disk file SOURCE will now be uncompressed into your newly created subdirectory on the hard drive. Merely follow these steps with all four disk executables in order to copy the files over to your hard drive: create the subdirectory, change to the subdirectory, then execute the file on your floppy disk.

If you want some extra information, you can read the disk's README file. Just type

TYPE B:README | MORE

at the prompt. For the specifics about the code, simply read the book.

# Order Form for Readers
# Requiring a Single 5.25″ Disk

This Windcrest/McGraw-Hill software product is also available on a 5.25″/1.2Mb disk. If you need the software in 5.25″ format, simply follow these instructions:

- Complete the order form below. Be sure to include the exact title of the Windcrest/McGraw-Hill book for which you are requesting a replacement disk.

- Make check or money order made payable to *Glossbrenner's Choice*. The cost is **$5.00** (**$8.00** for shipments outside the U.S.) to cover media, postage, and handling. Pennsylvania residents, please add 6% sales tax.

- Foreign orders: please send an international money order or a check drawn on a bank with a U.S. clearing branch. We cannot accept foreign checks.

- Mail order form and payment to:

    Glossbrenner's Choice
    Attn: Windcrest/McGraw-Hill Disk Replacement
    699 River Road
    Yardley, PA 19067-1965

Your disk will be shipped via First Class Mail. Please allow one to two weeks for delivery.

------------------------------------------------------- ✂ -------------------------------------------------------

# Windcrest/McGraw-Hill Disk Replacement

Please send me a replacement disk in 5.25″/1.2Mb format for the following Windcrest/McGraw-Hill book:

Book Title _____

Name _____

Address _____

City/State/ZIP _____